著者 秋松鶴

諸葛孔明秘術

日時秘法

圖書出版 生活文化社

〈著者 近影〉

序頭言

이 干支學秘法은 十干 十二支를 使用해서 운을 아는 비법이다 大端히 簡便한 秘術로서 지금까지 밝혀지지 않고 傳來되어 온 秘法이다.

本 秘法을 簡單하게 한 것을 數年前에 「제갈공명비술」이라 題하여 出版하였던 結果 多幸히도 많은 讀者의 好評을 받아 三版에 이르기까지 重版되었으나 어떠한 事情으로 因하여 絶版이 되어 今日에 이르렀다.

까닭은 讀者로부터 「훌륭한 秘術이나 더 깊은 秘法이 있은 것이다.」「大端한 的中率이기는 하나, 同一時間에 多數의 判斷을 할 때는 어떻게 하는가?」「他의 追從을 不許하는 鑑定法이나 더 좀 詳細한 秘訣을 알려줄 수는 없는가.」 等等의 質問이나 또는 「秘法이 있을 터인데 알려지지 않은 것은 인색하지 않는가.」「더욱 詳細한 秘傳的 判斷法을 쓰라」는 等의 要望을 筆者는 받은 바 있다.

그러므로 前書는 일단 初期의 目的을 達成했음을 알고 筆者들이 要望하는 詳細한 干支秘法의 새로운 執筆을 爲하여 前書를 絶版하기에 이른 것이다.

그間 「氣學書」를 執筆하기에 意外로 많은 時日이 經過한 때문인지 決코 인색함도 감추려

함도 아니였음을 밝혀드리는 바이다. 元來 筆者는 運命學에 있어서의 秘傳이나, 口傳, 비법이라 稱하는 것들의 發表에 對해서 他의 先輩들 보다는 進步的인 出發을 갖고 있다고 自負하는 바이다. 筆者는 이 秘法一切를 숨김없이 一般에게 發表하여 「萬人이 幸福해짐」이 運命學의 根本使命이라 생각하고 있다. 筆者의 運命學研究도 이 秘傳으로 말미암아 大端히 쓰라린 經驗을 쌓아 왔다. 故로 今後 모든 비법을 새롭게 一切를 發表하여 記述했다고 生覺한다. 勿論 本書를 보지 않은 讀者도 또한 旣讀者도 모든 讀者에게 應用할 수 있도록 詳述하였다는 뜻이다.

※

本 秘法의 特色은 大端히 簡單하여 原理만 解得한다면 行人이라도 場所, 時間 等에 구해 없이 判斷할 수 있다는 것이다.

本書에 依하여 萬人이 多少나마라도 닦쳐 오는 未來의 不幸을 未然에 防止하여 幸福의 機會를 남보다 速히 조금이라도 잡을 수만 있다면 筆者로서는 無限한 기쁨이라 아니할 수 없다.

辛酉年　月　日

著者　秋松鶴

目次

序文 ……………………………………………………………… 3

第一編 總則

(1) 運命學이란? 또한 운명과 숙명 ……………………… 15
(2) 運命學으로서의 干支秘法 …………………………… 17

第一章 干支秘法入門

(1) 干支秘法의 基礎 ……………………………………… 19
(2) 十干 十二支 陰陽、强弱、五行 …………………… 20
(3) 相生 …………………………………………………… 25
(4) 相剋 …………………………………………………… 27
(5) 比和 …………………………………………………… 29
(6) 十干 十二支 相互關係表 …………………………… 31

(7) 干支의 特殊關係表 …………………………… 33

第二章 十干 十二支의 理論

　(1) 陰陽五行에 關해서 ………………………… 35
　(2) 十干에 關해서 ……………………………… 39
　(3) 十二支에 關에서 …………………………… 41

第三章 五行 十干의 象意

　(1) 干支의 象意란 ……………………………… 44
　(2) 五行의 象意 ………………………………… 45
　(3) 木性이 表示하는 意味 ……………………… 45
　(4) 火性의 表示하는 意味 ……………………… 46
　(5) 土性의 表示하는 意味 ……………………… 47
　(6) 金性의 表示하는 意味 ……………………… 47
　(7) 水性의 表示하는 意味 ……………………… 48
　(8) 十干의 象意 ………………………………… 49

(9) 甲의 表示하는 意味 ································· 49

(10) 甲의 基本原理(人物、容貌、人體、疾病、場所、物件、雜象) ································· 51

(11) 乙의 表示하는 意味 ································· 53

(12) 乙의 基本原理(人物、容貌、人體、疾病、場所、物件、雜象) ································· 53

(12) 丙의 表示하는 意味 ································· 55

(13) 丙의 基本原理(人物、容貌、人體、疾病、場所、物件、雜象) ································· 55

(13) 丁의 表示하는 意味 ································· 56

(14) 丁의 基本原理(人物、容貌、人體、疾病、場所、物件、雜象) ································· 56

(14) 戊의 表示하는 意味 ································· 58

(15) 戊의 場本原理(人物、容貌、人體、疾病、場所、物件、雜豫) ································· 58

(15) 己의 表示하는 意味 ································· 60

(16) 己의 基本原理(人物、容貌、人體、疾病、場所、物件、雜象) ································· 60

(15) 庚의 表示하는 意味 ································· 60

(16) 庚의 基本原理(人物、容貌、人體、疾病、場所、物件、雜象) ································· 60

(16) 辛의 表示하는 意味 ································· 61

辛의 基本原理(人物、容貌、人體、疾病、場所、物件、雜象) ································· 61

(17) 壬의 表示하는 意味 ……………………………………… 63
(18) 癸의 表示하는 意味 ……………………………………… 65
壬의 基本原理(人物、容貌、人體、疾病、場所、物件、雜象)
癸의 基本原理(人物、容貌、人體、疾病、場所、物件、雜象)

第四章 十二支의 象意

(1) 子의 表示하는 意味 ……………………………………… 67
子의 特性(容貌、性格、五官、疾病)
(2) 丑의 表示하는 意味 ……………………………………… 68
丑의 特性(容貌、性格、五官、疾病)
(3) 寅의 表示하는 意味 ……………………………………… 69
寅의 特性(容貌、性格、五官、疾病)
(4) 卯의 表示하는 意味 ……………………………………… 70
卯의 特性(容貌、性格、五官、疾病)
(5) 辰의 表示하는 意味 ……………………………………… 71
辰의 特性(容貌、性格、五官、疾病)

- (6) 巳의 表示하는 意味 ………………………………… 72
- (7) 午의 表示하는 意味 ………………………………… 73
- (8) 巳의 特性(容貌、性格、五官、疾病) …………… 73
- (9) 未의 表示하는 意味 ………………………………… 74
- 未의 特性(容貌、性格、五官、疾病) …………… 75
- 申의 表示하는 意味 ………………………………… 75
- 申의 特性(容貌、性格、五官、疾病) …………… 76
- (10) 酉의 表示하는 意味 ………………………………… 76
- 酉의 特性(容貌、性格、五官、疾病) …………… 77
- (11) 戌의 表示하는 意味 ………………………………… 77
- 戌의 特性(容貌、性格、五官、疾病) …………… 78
- (12) 亥의 表示하는 意味 ………………………………… 78
- 亥의 特性(容貌、性格、五官、疾病) ……………

第五章 干支特術秘法의 鑑定法

　(1) 鑑定을 爲한 準備 …………………………… 80
　(2) 十干 十二支의 表出方法 …………………… 82
　(3) 十干 十二支의 陰陽과 強弱 ………………… 89
　(4) 鑑定의 基準(그 吉凶과 成否) ……………… 93
　(5) 鑑定法基準細則 ……………………………… 95

第六章 干支秘法의 應用法 (一)

　(1) 日과 時間의 干支關係 ……………………… 102
　(2) 運勢의 鑑定法 ……………………………… 104
　(3) 希望事의 鑑定法 …………………………… 109
　(4) 異性關係의 鑑定法(戀愛、結婚、愛情、夫婦像) … 112
　(5) 待人의 鑑定法 ……………………………… 115
　(6) 도주人의 鑑定法 …………………………… 116
　(7) 盜難、失物의 鑑定法 ……………………… 119

(8) 出産의 감정법……………………121

第七章 干支秘法의 應用法 (二)

(1) 訴訟、교제事의 감정법……………125
(2) 移轉、旅行 등에 관한 감정법……127
(3) 疾病의 감정법……………………129
(4) 試驗、선거의 감정법……………132
(5) 株式、其他 時價에 관한 감정법…134

第八章 干支秘法鑑定秘訣

(1) 보다 낳은 鑑定을 爲해서…………138
(2) 감정前에 알어야 할 상식…………138
(3) 十干으로 병을 아는 비법…………143
(4) 五行과 五臟의 關係………………144
※ 十干과 內臟關係……………………145
(5) 五行과 人體關係……………………146

※　五行과 病因關係………………………………146
　(6)　五行과 그 病狀태………………………………147
　(7)　十干急變, 病災秘法……………………………147
　(8)　十干身體安否秘法………………………………149
　(9)　干支 表裏秘法……………………………………150
　(10)　十干 十二支變化秘法……………………………153

第九章　十干吉凶盛衰秘訣
　(1)　十干生剋의 特徵…………………………………156
　(2)　十干生剋특수비법………………………………157

第十章　十干轉禍爲福秘法
　(1)　올바른 運命學을………………………………204
　(2)　十干轉禍爲福秘法………………………………206
　(3)　愼重한 判斷을 하는 法…………………………210

附錄

(1) 出生支로 月運見特秘 ……………………… 214

(2) 易의 名言集 ……………………… 231

第一編 總 則

(1) 운명학이란 또한 운명과 숙명

이 「運命」이라는 두 글자같이 잘못 解釋되고 있는 낱말도 흔하지 않다. 一般人도 또 運命學을 工夫하고 있는 學者들도 이 「運命」을 「宿命」과 混同하여 解釋하고 있는 境遇가 많다.

一般的으로 吉事나 凶事나 運命이다라고 簡單히 締念해 버리나 이 「運命」이란 그러한 것이 아닐 것이다.

「宿命」이란 주어진 絶對로 어쩔 道理가 없는 命을 限界的인 範圍內에서 運般함이 運命인 것이다. 말을 바꾸어 한다면 「命」이란 갖고 태어난 어떤 約束事이며, 「運」이란 그 어떤 約束事를 運般(움직임)하는 것이다.

이 變遷이 極甚한 世代에 태어난 것도 命일 것이며, 男子 或은 女子로 태어난 것도 命이다. 이것은 本人이 어쩔 道理가 없는 所謂 宿命인 것이다. 그리하여 이 命인 今世代에 있어서 男兒로서 奔發努力하고 盛業하여, 大事業家가 되는 者도 있고, 或은 平凡한 俸給生活을 하는 者、或 小商人이 되어 平生을 보내는 者도 있음이 即 「運」인 것이다.

今世代에 태어났다는 그 自體, 男女 或은 女子라는 特別, 이것은 움직일 수 없는 命이나, 이 命의 範圍內에서 成功함도 失敗함도 「運」인 것이다. 이 宿命的인 命下에 如何히 하여 運을 잡고 탈 수 있는가 하는 것이 運命學인 것이다. 이 運命學을 잘 使用함으로서 우리들은 開運도 成功도 期할 수 있다. 運命學이란 이러한 意味에서 發展을 期하기 위한 學問이어야만 하는 것이다.

故로 過去의 運命學은 前述한 바와 같이 宿命과 運命을 混同했기 때문에 人間은 大端한 絕望속으로 빠뜨리는 運命學이 되었던 것이다. 一部의 運命學을 除外하고 거의가 다 그러했다.

短, 運命學 相으로 成功을 바랄 수 없는 平生出世를 못하는 사람, 等等 絕望的이며 더우기 사기의 宣告를 판단하는 占術은 眞實한 學問이 아닌 것이다.

決코 運命學이란 宿命的인 것이 아닐 것이며, 또 그렇게 되어서는 안되는 것이다. 單只 運은 如何히 잡을 것이며 어떻게 利用하는 것인가에 달렸을 뿐이다. 運을 利用한다는 것은 다시 말해서 機會를 잡는다는 것이다. 그렇다면 그 機會를 如何히 잡을 것인가? 機會란 到處에 굴러다닌다. 우리들의 日常的인 行動의 하나 하나가 成功에의 機會와 連結되어 있다. 그 機會에 直結되어 있는 日常生活에 如何히 對處하여 틀림없는 機會를 잡는가 하는 것이 이제부터 記述하는 運命學 卽 「干支秘法」인 것이다.

(2) 운명학으로서의 干支秘法

運命學이란 前述한 바와 같이 定해진「命」中에서「運」을 잡는 方法을 알 수 있는 學問(占述)인 것이다.

故로 이「運命學」에는 定해진「命」을 아는 方法과「運」을 잡는 方法과의 二種類로 나누어지는 것이다.

이「干支秘法」은 日常的行動에 對해서의 吉凶을 明確하게 豫斷할 수 있으며 그것에 依하여 凶事를 未然에 防止하고 吉事를 보다 많이 招來케 하는 機會를 잡는 方法을 알 수 있는 秘法이다.

그러면 이 비법이 他方法보다 좋은 點을 列擧한다면

一, 大端히 間單하다.
一, 누구나 곧 應用할 수 있다.
一, 大小事를 莫論하고 明確하게 判斷할 수 있다.
一, 細事에까지 判斷되며 모든 問題에 應用할 수가 있다.
一, 各人의 平生을 通한 運氣의 盛衰를 判斷할 수 있다.
一, 各人의 氣質, 容貌, 行動等을 안다.

一、 各人의 決定지을 수 없는 問題들을 判斷할 수 있다。 卽、
戀愛、 結婚、 昏談、 昏談의 吉凶、 禍福、 그 成否、 新築、 移轉、 方位、 環境의 吉凶位。
就業、 轉業、 事業의 盛衰、 成敗與否
病名、 病根、 疾病의 狀態、 經過位
其他、 失物、 盜難、 勝敗、 株의 賣買、 物價、 所望事의 成否等 人事의 문제점 등이다。

第一章 干支秘法入門

(1) 干支秘法의 기초

 이 「干支秘法」은 各人의 生年月日의 十干 十二支와 每日每時의 十干 十二支를 使用하여 모든 事實을 卽席에서 判斷感定하는 秘法이다. 故로 이 干支秘法의 基礎가 十干 十二支이며 그 十干 十二支가 갖고 있는 意義에 있는 것이다.
 卽, 十干 十二支와 그것에 附隨되어 있는 「陰陽」과 「五行」 및 그 十干 十二支의 相互關係에 있는 것이다. 相生、相剋、比和가 干支秘法의 基礎가 되는 것이다.
 이 占述은 東洋運命學의 基礎原理를 大端히 簡單하고 素朴하게 應用한 것으로서 一見은 大端히 原始的인 占法인 것 같이 生覺되나 이 干支秘法은 決코 그러한 것이 아닐 것이다. 運命이라 하는 것은 複雜하기 때문에 좋은 것이 아니고 더우기 科學的으로 證明되지 않으면 이 世上에 通用되지 않는 것도 아니다. 많은 學者、卽、哲學者、心理學者、東洋心理學者들이 「運命學은 科學에 미치지 못하는 무엇인가 神秘한 것이다」라고 發言 및 認定을 하고 있는 事實이다.
 그 神秘的인 것을 올바른 常識에 依해서 應用되고 運用되는 데에 運命學의 眞情한 意味

와 價値가 있는 것이다.

그러므로 本人은 이 干支秘法을 素朴하고 原始的이며 더우기 神秘的이기까지한 事實을 事前에 말해 두는 것이며 그 點에 對해서 혹시나 不滿을 가지는 讀者가 있다면 서슴없이 本書를 아니 全東洋運命學의 학술을 硏究할 필요없이 斷念해주기 바란다고 말하겠다. 더우기 著者가 著書한 四柱秘典이나 영통신서 같은 저서는 세계적으로 처음 발표된 비법록이다. 이러한 책도 믿을 필요보다도 먼저 구독해 보기 바란다.

(2) 十干、十二支陰陽、強弱五行

十干이란 다음에 記述하는 十種을 말하며 一個月을 上中下의 三旬으로 나누어 一旬의 十日間에 부친 曆上의 符號를 表示하는 것이라 하겠다.

甲·乙·丙·丁·戊·己·庚·辛·壬·癸

이 十干이 每年每月每日每時에 부쳐져 있는 것으로 甲年이라든가 丁月이라든가 己日、또는 丙時라든가 하는 것이 그것인 것이다.

※ 十二支

十二支란 다음의 十二種을 말하며 一年 十二個月의 季節에 因한 曆上의 符號를 表示하는 것이다.

子・丑・寅・卯・辰・巳・午・未・申・酉・戌・亥 이 十二支는 元來 十二個月에 因한 曆上의 符號이나 十干과 組立하며 十干과 같이 每年 每月每日每時에 붙는 것으로 子年 丑月 酉日 亥時라든가 하는 것이 그것이다.

※ 陰 陽

陰陽이란 이 自然界에 있어서 모든 것을 二種의 對照的인 位置에 나누었을 때의 稱號이다. 假令 人間에 있어서의 陰陽은 男性이 陽이며 女性은 陰이다. 四秀節로는 春夏가 陽이고 秋冬이 陰이다. 一日에 있어서는 午前은 陽이고 午後는 陰이다. 其外에 强弱과 盛衰가 모든 事物에 이 陰陽이 있어 各己 陽의 性格 陰의 性格을 가지고 있다.

※ 十干의 陰陽

陽 甲 丙 戊 庚 壬
陰 乙 丁 己 辛 癸

※ 十二支의 陰陽

陽 子 寅 辰 午 申 戌
陰 丑 卯 巳 未 酉 亥

※ 强과 弱

十干 十二支에 있어서 陰陽이 있는 것과 같이 十干 十二支에도、强弱이 있다。人間에 比喩한다면 陽은 男性이며 陰은 女性이지만 陽性인 男性에게도 부드러운 女性型의 男性도 있고 보다 男性的인 男性도 있거니와 陰性인 女性中에서도 活動的인 男性的의 女性이 있는가 하면 極端的으로 女性的인 女性도 있는 것이다.

그와같이 이 十干 十二支에도 그 本來의 强弱이 있는 것이다.

十干의 强弱

甲 陽 强
乙 陰 弱
丙 陽 强
丁 陰 弱
戊 陽 强
己 陰 弱
庚 陽 强
辛 陰 强

十二支의 强弱

子 陽 弱
丑 陰 强
寅 陽 强
卯 陰 弱
辰 陽 强
巳 陰 弱
午 陽 强
未 陰 弱

壬 陽 强

癸 陰 强

申 陽 强

酉 陰 强

戌 陽 强

亥 陰 强

(註) 十干 十二支가 全部 陽은 强하고 陰은 弱한 것이 아니므로 注意를 要함.

※ 五 行

五行이란 이 大自然界의 모든 것이 五個의 要素에 依해서 構成되어 있다고 보는 것이며 東洋思想의 根本이 되는 것으로 다음의 五種을 五行이라 한다.

木・火・土・金・水

이 五種으로서 이것을 印度哲學에서는 「五大」라 하여 「地・水・火・風・空」의 五種이 이 것에 該當한다.

(註) 嚴密히 말한다면 五大와 五行은 다른 것이나. 例를 들자면 그렇다는 意味이다. 「木」이란 生物一般에 對한 意味로서 樹木 그리고 이 오행은 다음과 같이 說明하고 있다. 이 生物이 冬眠(五行으로는 水이다)에서 깨어 이라는 좁은 意味로만 받아들여서는 안된다. 나 成長發展하는 春季를 象徵하는 것으로서 이것을 「木」또는 「木性現象」이라 한다.

「火」란 모든 熱物質과 그 作用을 意味하는 것이다. 그리하여 그 發熱作用은 夏節의 旺盛함을 象徵하는 것으로서 이것은 「火」 또는 「火性現象」이라 한다.

「土」란 大地土壤을 뜻하는 것이며 變化를 意味한다. 即 萬物은 土에서부터 나와 土로 돌아간다는 土地作用(混度의 作用)이 있어, 四季가 變遷되는 土用의 象徵을 뜻하는 것으로서 「土」 또는 「土性現象」이라고 한다.

「金」이란 金屬一般을 뜻하며 收斂을 意味한다. 即 萬物이 冷한 氣運을 맞아 비로서 充實해지는 秋季의 象徵을 가르키는 것으로서 이것을 「金」 또는 金屬現象이라고 하는 것이다.

「水」란 液體狀態를 뜻하며 水性을 意味한다. 이 自然界의 萬象이 잠(眠)에 빠져들어 靜寐에 이르는 冬季의 象徵을 뜻하는 것으로서 이것을 「水」 또는 水性現象이라고 하는 것이다.

以上 五種의 作用은 自然界의 生成發展의 樣相을 哲學的으로 說明한 것이라고 할 수가 있다. 봄에 伸長하고 여름에 旺盛하여지고 가을에 充實해지고, 겨울에 休止하는 自然界의 現象으로서 그 間에 土用이라고 하는 變化(土의 作用)가 끼어 있는 自然哲學의 理論을 이루운 것이다.

그러면 이 五行을 前述의 十干 十二支에 配分하여 그 五行의 作用이 各各 十干 十二支에 內包하고 있음을 鑑定함에 利用함이 「이 책의 비법」의 基本인 것이다.

五行	木	火	土	金	水
十干	甲 乙	丙 丁	戊 己	庚 辛	壬 癸
陰陽	陽 陰	陽 陰	陽 陰	陽 陰	陽 陰
十二支	寅 卯	巳 午	辰戌 丑未	申 酉	子 亥

※ 十干 十二支의 五行을 表示하면 다음과 같이 된다.

五行 十干 十二支
木   甲乙 寅卯
火   丙丁 午巳
土   戊己 辰戌丑未
金   庚辛 申酉
水   壬癸 子亥

以上의 五行位은 四柱秘典을 구독하면 이해가 쉽다.
※ 다음에 十干 十二支의 五行陰陽을 상기 도표로 표시하면 다음과 같이 된다.

(3) 相 生

相生이란 十干 十二支에 있어서 五行(前記木火土金水의 作用)의 相互關係를 意味하는 것의 一種이다. 即「相生」이란 相互間에 親和性을 갖는 五行의「相互關係」를 말하는 것이다. 例를들면 前記의 各各 다른 五個의 要素(五行)이 相觸하면 「相生作用」即 다음과 같은 現象을 生하는 것이다.

木➡火➡土➡金➡水➡木 上圖와 같다.

木性物質은 불에 타서(燃燒) 火로 變하는 性質을 가지며 또 木과 木이 마찰을 하면 火를 生한다. 이 相互關係를 木生火라고 하며 木과 火의 親和性의 關係를 相生關係라고 말하는 것이다.

또 火는 燃燒하며 結局은 재(灰)가 된다. 灰는 土性이다. 即 火는 土를 生하는 것이다. 이것이 「火生土」의 火와 土의 親和性의 相互關係이다. 여기에서 火가 재가 되어 土로 된다는 것은 여러분의 처음 듣는 비법일 것이다. 이런 점을 꼭 연구과제로 두기 바란다.

또 土中에서 金屬을 얻는다. 이것은 「土生金」의 相互關係라 한다. 다음으로 金은 冷해져 굳어지며 冷氣가 水를 부른다. 이것을 「金生水」의 相互關係라 한다. 그리하여 水는 生物一切을 育成시키기 때문이다. 即 水는 物質을 育成시키기 때문에 이것을 「水生木」의 相互關係라고 한다.

以上의 木生火 火生土 土生金 金生水 水生木의 五種類의 五行相互關係를 總稱하여 相生이라 稱하는 것이다.

이 相互關係는 十干十二支의 四行에 마추어서 前記 五行과 같이 十干 十二支間의 相互關係를 보는 것이다.

例를들면 甲乙은 五行上 木이다. 五行上의 火를 相生함으로 木生火 即 甲乙은 丙丁을 相

生한다. 이와같이 丙丁은 土인 戊己를 相生하고 戊己(土)는 庚辛(金)을 相生하고 庚辛(金)은 壬癸(水)를 相生하고 壬癸(水)는 甲乙(木)을 相生하게 되는 것이다.

以上과 같은 原理로 十干十二支에도 같은 原理로 作用하는 것이다.

例를들면 十二支에 있어서 前記한 바와 같이 巳午는 火이다. 火는 土를 相生하는 理致로 巳午(火)가 丑辰未戌(土)를 相生한다. 反對로 巳午(火)는 木의 生을 받는故로 寅卯(木)가 巳午(火)를 相生한다. 丑辰未戌(土)는 申酉(金)을 相生하고 申酉(金)은 子亥(水)를 相生하며 子亥(水)는 寅卯(木)을 相生하게 되는 것이다.

右記와 같이 相生關係는 「親知性을 갖는 五行의 關係」임으로 二種이 있는 것이다. 即 같은 親知性을 갖는 關係일지라도 相生하는 關係와 相生을 받는 關係가 있는 것이다.

(4) 相 剋

相剋이란 十干十二支에 있어서 五行의 相互關係의 하나로서 前記의 相生과 反對의 五行關係 卽 그 相互의 五行의 性質을 「剋害하는 五行의 相互關係」를 말한다.

例를들면 前記의 各各 다른 五個의 要素(五行)가 相剋(相互接觸)되면 다음과 같은 現象을 나타내는 것이다.

木性物質은 土에서 養分을 吸收하며 育成되어 간다. 故로 土는 滋養의 氣를 木에 奪取當

하여 土는 거칠어진다. 이것을 「木剋土」의 相剋이라 하는 것이다.

또 土는 水를 濁하게 하고 水의 本質이 흐름을 막는다. 이것이 即 「土剋水」라고 하며 水를 剋害하는 까닭이다.

또 水는 火를 꺽는다. 「水剋火」의 相剋이며 火는 金屬一切를 溶解한다. 即 金의 元來의 本質인 굳음과 冷함을 無力하게 만든다. 이것을 「火剋金」의 相剋이라고 하는 것이다.

또 金은 木性物質을 傷케 한다. 即 「金剋木」의 木을 剋害하는 것이다.

以上 「木剋土」 「土剋水」 「水剋火」 「火剋金」 「金剋木」의 五種은 五行相互關係의 「相剋」이라고 하는 것이다.

水	生	木	生	火
生				生
金		生		土

以上과 같은 原理를 十干十二支의 五行에 마추어 서로의 相互關係를 보는 것인 것이다.

例를 들면 甲乙(干) 寅卯(支)는 木임으로 土인 戊己(干) 丑辰未戌을 相剋하고 丙丁(干) 巳午(支)(火)는 金인 庚辛(干) 申酉(支)를 相剋하며 戊己(干) 丑辰未戌(支)는 土임으로 水인 壬癸(干) 子亥(支)를 相剋하고 金인 庚辛(干) 申酉(支)는 木인 甲乙(干) 寅卯(支)를 相剋하며 水인 壬癸(干) 子亥(支)는 火인 丙丁(干) 巳午(支)를 相剋하게 된다.

이 相剋作用도 前記한 相生과 같이 二種이 있어 相剋하는 關係

와 相剋當하는 關係가 되는 것이니 냉철한 판단을 바란다.

例를들면 甲乙(木)은 木剋土의 原理대로 戊己(土)를 相剋하나 反對로 庚辛(金)으로부터 는 甲乙(木)이 相剋當하는 關係인 것이다. 後記에 詳細하게 說明할 것이나 언제나 剋하는 者는 剋을 받은 者의 生을 받는 五行에게 剋을 받게되어 있다.

(5) 比 和

比和란 十干十二支에 있어서 五行의 相互關係에 있어 前記의 「相生」「相剋」中 어느 쪽에도 屬하지 않는 五行關係를 말한다. 卽 五行關係에 있어서 「同性의 五行」關係를 意味하는 것으로 「木과 木」「火와 火」「土와 土」「金과 金」「水와 水」의 關係를 뜻하는 것이다.

例를들면 甲과 甲은 木性의 比和, 己와 己」는 土性의 比和 또는 「子와 子」는 水性의 比和 「巳와 巳」는 火性의 比和 하는 것과 같은 것이다.

그러나 十干十二支에 있어서는 陰陽이 다른 境遇는 同五行이라도 같은 비례로 取扱치 않고 相生의 一種으로 取扱하여서 본다.

卽 五行이 同性으로 陰陽이 다른 境遇에는 「陰은 陽으로부터 相生을 받는다」라는 原則이 있어 同五行일지라도 比和가 아니다.

例를들면 甲과 甲은 같은 五行이며 같은 陽性이기에 比和이나 甲과 乙의 境遇는 같은 木

性이기는 하나 陰陽이 다르기 때문에 비화가 아니고 陽인 甲木이 陰인 乙木을 相生하는 原則으로 陰木인 乙이 陽木인 甲으로부터 相生을 받게 되는 것이다. 子와 子는 같은 陽水이며 亥와 亥는 같은 陰水임으로 比和이다. 그러나 陰陽이 다른 子와 亥는 相生關係가 되는 것이다.

故로 命理學과 다른 이 干支秘法만의 特徵을 잘 記憶해 두기 바란다.

여기 十二支에 例外가 있다. 그것은 十干에는 없으나 十二支에만이 이 特別한 關係가 있어 같은 五行 같은 陰陽이면서도 다른 十二支의 相互關係이다.

例를들면 辰과 戌은 같은 土性이며 陰陽도 같은 陽이다. 이와같이 丑未도 같은 陰이며 같은 土性이다.

이것이 같은 土性이면서 陰陽이 다른 境遇는 相生關係임은 前述한 바와 같으나 같은 五行 같은 陰陽일 境遇는 다음의 原則에 依한다. 卽「五行易에서 말하는 進神이다」.

一、辰과 戌의 境遇는 辰이 戌을 相生한다.
一、丑과 未의 境遇는 丑이 未를 相生한다.

이것 以上의 土性의 十二支關係는 前記와 같다. 例를들면 陰陽이 다른 辰과 丑의 關係에 있어서는 陽인 辰이 陰인 丑을 相生하는 關係가 된다. 또 戌과 未도 陽인 戌이 陰인 未를 相生하게 되는 原理인 것이다.

(6) 十干十二支 相互關係表 天干

基干＼他干	甲	乙	丙	丁	戊	己	庚	辛	壬	癸
比和	甲	乙	丙	丁	戊	己	庚	辛	壬	癸
相生하는干	丙丁	丙丁	戊己	戊己	庚辛	庚辛	壬癸	壬癸	甲乙	甲乙
相生받는干	壬癸	壬癸	甲乙	甲乙	丙丁	丙丁	戊己	戊己	庚辛	庚辛
剋하는干	戊己	戊己	庚辛	庚辛	壬癸	壬癸	甲乙	甲乙	丙丁	丙丁
剋받는干	庚辛	庚辛	壬癸	壬癸	甲乙	甲乙	丙丁	丙丁	戊己	戊己

地支

他支＼基支	子	丑	寅	卯	辰	巳	午	未	申	酉	戌	亥
此和	子	丑	寅	卯	辰	巳	午	未	申	酉	戌	亥
相生하는支	寅卯	申酉	巳午	巳午	申酉	辰戌丑未	辰戌丑未	申酉	亥子	亥子	申酉	寅卯
相生받는支	申酉	巳午	亥子	亥子	巳午	寅卯	寅卯	巳午	辰戌丑未	辰戌丑未	巳午	申酉
剋하는支	巳午	亥子	辰戌丑未	辰戌丑未	亥子	申酉	申酉	亥子	寅卯	寅卯	亥子	巳午
剋받는支	辰戌丑未	寅卯	申酉	申酉	寅卯	亥子	亥子	寅卯	巳午	巳午	寅卯	辰戌丑未

(7) 干支의 特殊관계표

十干十二支에 있어서의 相互關係에 있어 「相生」「相剋」「比和」三關係 以外에 本學術에서는 「裏表」라 稱하는 特殊한 關係가 있다.

그것은 十干 또는 十二支의 配列에 있어서 그 十干이나 十二支의 옆에 있는 干 또는 支를 裏라 稱하여 이 兩者가 密接한 特殊關係가 있는 것으로 보는 것이다.

十干의 配列을 表示하면 다음과 같다.

表→甲 ── 乙 ── 丙 ── 丁 ── 戊
裏→己 ── 庚 ── 辛 ── 壬 ── 癸 (卽、干合)

例를 들면 甲의 裏는 甲의 옆에 있는 己이며, 이것이 甲의 裏이다. 反對로 己의 裏는 甲인 것이다. 그럼으로 甲과 己의 關係는 「裏表」라 稱하는 것이다. 또 丁의 裏는 壬이며, 壬의 裏는 丁이 된다.

十二支의 裏도 같은 要領으로 그 配列을 表示하면 다음과 같다.

午 ── 子
未 ── 丑
申 ── 寅
酉 ── 卯
戌 ── 辰
亥 ── 巳 (卽、相冲)

例를들면 子의 裏는 午이며 午의 裏는 子이다. 또 寅의 裏는 申이며 申의 裏는 寅이다. 또 辰의 裏는 戌이며 戌의 裏는 辰이다.

(誰) 十干의 裏表關係를 四柱秘典學에서는 干合이라 稱하고 十二支의 裏表關係는 冲이다 稱하고 있다.

이「裏」의 應用法은 같은 十干이나 十二支의 二個가 重復되어 表出되었을 時에 (後述 第五章을 參照. 日이나 時間에 干支를 表出하는 것) 裏의 十干 或은 十二支를 表出하여 鑑定에 使用하고 있는 것이다.

例를들면 午와 午가 重復되어 表出되었을 時에는 午의 裏인 子가 表出되어 그 子를 使用하여 鑑定하게 되는 것이다.

十干도 같은 要領으로 辛이 重復되어 表出되었을 時에는 辛의 裏인 丙에 依해 判斷을 하게 되는 것이다.

以上이 干支特殊秘法의 基礎智識이다.

이제까지 記述한 基礎智識은 大端히 重要한 基本임으로 充分히 理解하고 習得하여주기 바라는 바이다.

이것이 即「十干 十二支 陰陽 强弱」, 干支의 强弱 干支의 五行 相生 相剋比和, 十二支의 特殊關係 干支의 裏表 等의 十四個條인 것이다. 干支의 相生相剋比和.

第二章 十干 十二支의 理論

(1) 陰陽五行에 관해서

前章에 運命學에 있어서의 「陰陽」「五行」의 簡單한 定義를 說明하였으나 本章에서는 若干 理論的인 面을 記述하고저 한다.

陰陽이란 이 大宇宙에 있어서의 活動力을 뜻하는 것이다. 이 陰陽이란 自然界에 있어서의 有形無形의 二大元氣이며 그것들의 二大作用이 相互交接하여 萬物이 生長되어가는 根元이 되는 것이다.

東洋思想에 있어서 陰陽은 西洋思想에 있어서의 「相對性」에 該當하는 것으로 周易繫辭下傳에 이것은 「天地絪縕 萬物化醇 男女構精 萬物化生」이라 說明하고 있다. 설명을 한다면 天地絪縕하여 萬物化醇하고 男女精을 構交하여 萬物化生한다는 뜻이다.

絪縕은 氣가 合하며 盛하여짐의 意味가 있고 化醇은 氣化한다는 뜻이 있다. 卽 大宇宙間에 陰陽이라는 二大元氣가 모여서 萬物이 生하고 陰陽이 相交함으로서 萬物이 生成發展한다는 뜻이라 하겠다.

그러면 果然 陽이란 무엇이며 陰이라고 하는 것은 무엇인가 陽이란 積極的인 作用이며

陰이란 消極的인 作用이다. 電氣에 假定한다면 陽은 十(푸러스)이며 陰이란 一(마이너스)이다.

이 陰陽의 二大元氣는 우리들이 日常生活에서 隨時 눈에 보이는 有形的인 것에서 例를 들면 男女가 되고 老若이고 生死가 그렇고 寒暑 大小 強弱 盛衰等 여러가지를 들수 있다. 新時代의 젊은이들에게 알기 쉽게 말한다면 相對性인 것이다.

다음에 五行이란 무엇을 意味하는가.

運命學을 迷信이라고 否定하는 科學者라 稱하는 分들이 于先 第一먼저 五行의 不備點에 對해서 攻擊하고 오는 것이 常例이다.

即 太古의 天文學이 그다지 發達하지 못하였을 때에 發見된 五個의 별을 自然界에 맞운 五行思想에 依한 運命學은 迷信이라고, 그리고 現在는 數十 數百의 遊星이 發見되어 있는 事實을 指摘하는 것이다. 其他 여러가지로 五行에 關해서 그 不完全한 點을 공박하는 것이나. 이것들은 全部 五行의 有形的인 面만을 主로 하고 있는 結果의 要至인 것이다.

그렇다면 令時代는 觀測用의 巨大하고도 性質이 아주 좋은 望遠鏡으로 各遊星을 볼수 어모든 것은 確認한다고 하지만, 古來 몇 千年前에 그런 器具하나 없이 大宇宙에 五大星 即 火星 金星 水星 木星이있음을 어찌 알었으며, 또 그 별들의 色形 即 火星은 赤 土星은 黃 金星은 白 水星은 黑 木星은 青色으로 보인다는 것을 어찌 否定하는가. 그렇한 問

題들은 一旦 덮어두겠으나, 이 책을 구독하는 사람은 누구를 막론하고 易學은 미신이 아니라는 것을 이해하고 설명하기 바란다.

또한 前章에서는 五行의 作用에 對하여 說明하였으나 그것은 有形的인 面에서 記述하였음으로 여기에서는 再次 五行의 眞情한 意味를 記述해 보고저 한다.

원래 이 五行이란 前記의 陰陽이라는 二大元氣에서 生한 有形無形의 作用이라고 풀이하는 것이 이 五行을 說明하는 올바른 觀法인 것이다. 過去에 여러가지로 非難받어 온 五行說은 이것을 너무나 지나치게 有形的인 面에서만이 보아왔기 때문에 이러한 誤解인 것이다

그렇다면 眞實한 五行이란 무엇인가.

五行이란 大自然界에 있어서 有形無形의 五氣 五元素를 말하는 것이다. 그리고 그 五行은 有形보다는 오히려 無形쪽이 보다 더 重要한 것이나, 이제까지는 그것이 無視되어 왔기 때문에 前記와 같은 非難을 많이 받어왔다고 할 수가 있는 것이다.

그러면 無形의 五行이란 「五氣」라 하는 것으로서 「風熱混燥冷」을 意味하고 있는 것이다. 그리고 有形의 五行이란 「木火土金水」를 뜻한다.

自然界의 모든 것 卽 生物이나 死物도 이 五行의 作用範圍에서 벗어나지 못하고 그 至大한 影響을 받는다. 死物의 器具라 할지라도 「混」作用의 限度가 지나치면 腐敗現象을 이르키고 生物은 죽엄으로 쫓기어 가게 된다. 또 「熱」作用이 없었다고한들 모든 生物의 生長이

이루워지지 아니었을 것이다. 適當한 「五氣」의 作用이 그 얼마나 生物 死物을 莫論하고 重要한가를 알 수가 있다.

이 「五氣」中에서도 特히 「混」의 作用은 他四氣의 作用의 調和를 뒷받침하는 것으로서 第一 重要한 것이다.

萬物(生物 死物을 英調하고 모든 것)이 生進함도 死退함도 이 「混」 卽 「土化作用」에 依해서 行해진다.

方位學 家相學에 있어서 五黃殺(土星) 暗劍殺(土星의 反對方位) 鬼門(陽의 土星方位) 裏鬼門(陰의 土星方位)가 重要視되고 그도 두려워함도 이 「五氣」의 作用이다.

또 一年 十二個月의 四季에 있어서도 반드시 이 「混」인 土化作用을 이르키는 「土用」이 各季節의 變節期에 配當되어 있음을 보아도 알 수 있는 것이다.

春季인 寅卯(陽二月과 三月)의 다음인 四月에 辰(土)의 土用이 있어 비로서 夏季인 巳午(陽五月과 六月)이 온다. 다음 七月의 土用인 未(土)가 있어 秋季의 申酉(陽 八月과 九月)이 오며 또 十月의 土用인 戌(土)가 있어서 다음에 冬季인 亥子(陽 十一月과 十二月)이오고 一月인 丑(土)가 있어 다시 春季가 되는 것이다.

要컨데 春夏秋冬의 各季節間에 土가 있게 되는 것이다. 四季의 變化는 이 「混」인 것이다.「土用의 變化作用」에 依해서 春夏秋冬이 巡還되고 있는 것이다.

(註) 世上에서 一般的으로 土用丑日이라 하여 夏節의 土用(이것은 未月의 土用)밖에 없는 것으로 生覺하고 있으나 前記한 바와 같이 未月(六月) 以外에도 戌月 丑月 辰月 等의 土用이 있는 것이다. 모름지기 夏節의 土用(六月)이 第一 더웁고 變化가 甚한 탓이 人間의 健康上에 미치는 影響이 큼으로 古人들이 生覺한 것이 뱀長魚를 먹는 或은(犬) 개장을 먹는 體力保護法을 考案했음즉도 하다.

以上과 같이 五行(五氣)을 有形無形의 各方面에서 考察해 본다면 반드시 迷信이라 함도 또 天文學的으로 不何하다고도 斷定하지 못함은 明白한 것이다. 要컨데 「陰陽」「五行」은 우리들의 生과 滅을 官掌하는 有形無形의 大自然界의 作用이라고 보는 것이 第一 安當할 것이며 第一 올바른 것이다.

(2) 十干에 關해서

十干이란 中國의 黃帝時代에 大撓라고 하는 者가 北斗星에 依해서 占候하여 이 十干을 定했다고 되어 있다. 即 古事에 「黃軒轅之時 大撓之所制也」라 하였다. 이 十干은 伏羲氏가 制定하였다고도 傳해지고 있다.

干은 幹의 義이며 無形의 作用을 意味한 것이다. 또 曆法上으로 말하면 十干은 一旬의 日

을 表示하기 爲한 記號라고도 할 수 있다.

十干의 意義를 記述하고저 한다.

甲이란 草木이 처음으로 地上에 싹을 나타내기 始作한 面貌를 意味이다.

乙이란 草木의 싹이 돋아났을 때 陰氣가 强하기 때문에 屈曲되어 있는 面貌를 意味하며 (알)軋라는 意味이다.

(註) 최근의 文字學에서는 細工을 하는 때에 사用하는 양端이 예리한 道具를 象形하였다는 說도 있다.

丙이란 萬物이 生成하여 炳然한 모습을 意味하고 炳이라는 意味이다.

(註) 一說에 依하면 사람의 어깨 또는 冊上(机)를 象形한 字이다.

丁이란 草木이 繁成하는 面貌를 意味이며 (壯)이라는 意味이다.

戊이란 草木이 茂盛하여진 형태를 意味하고 茂라는 意義이다.

己란 萬物을 저장하는 형태를 意味하고 (甚)라는 意義이다. 說文에 「中宮也 象萬物辟藏詘形也」라고.

庚이란 秋季가 되어 萬物이 庚庚하게 익어 更革하는 형태를 意味하며 (更)이라는 意義이다.

辛이란 萬物이 熟成하여 凋落한 面貌를 意味하고 (新)이라는 意義이다. 說文에 「秋時萬

物成而熟 金剛味幸 幸痛即流出 從一辛自也」라고.

(註) 一說에 針의 形을 딴다고도 한다.

壬이란 새로히 一陽을 姙(밴다) 한다는 형태을 意味하며 姙이라는 意義이다.

癸란 陰之相으로 草木이 地中으로 숨어들어 때를 기다리는 面모를 意味하며 (揆)라는 意義이다.

以上 十干의 意味나 意義는 解法에 있어서 十干의 象意로서 자주 使用되는 것임으로 若干 專門的인 解說을 試圖한 것이다.

(3) 十二支에 관해서

十二支란 前記의 十干의 起元과 同一觀함이 妥當한 것이다. 五行大義와는 册子에는 十二支도 十干과 같이 「大撓之所制也」라고 하였고 大撓가 五行說을 基礎로 하여 作成하였다고도 한다.

그리고 前記의 十干은 無形의 氣에 强하며 十二支는 有形의 須에 依해서 이 大自然界를 說한 것이라고 되어 있다. 요컨데 十干은 一旬(十日間)을 表示하기 爲해서이고 十二支는 一個年(十二個月)의 月을 表示하기 爲하여 考察된 것이라 할 수 있을 것이다.

十干의 干은 「幹」으로서 그것에 對하여 十二支의 支는 「枝」라는 意味이다. 그리고 이 十

二支가 月을 表示한다고 하는 意味는 文學本來에서 始作되었다는 것도 興味있는 點이다.

다음에 十二支의 意義를 記述한다.

子란 大自然界의 生氣가 地下에 돋아나와 萬物이 滋養되는 모습을 意味하는 것이며 (滋) 라는 意義이다.

丑이란 萬物이 陰氣 冷氣에 包含되어 있어 나와 包內에서 풀려나는 모습을 意味하며 「紐」이라는 意義이다.

寅이란 萬物이 비로서 처음으로 돋아나 뻗으려하는 모습을 意味하며 「演」 또는 「震」이라는 意義이다.

卯이란 萬物이 뻗어나와 旺盛해지는 모습을 意味하고 「茂」라는 意義이다.

辰이란 萬物이 旺盛해지고 震動하는 모습을 意味하며 「震」이라는 意義이다.

巳란 萬物이 陽氣가 차서 大端히 旺盛하게 된 모습을 意味하며 「巳」라는 意義이다.

午란 萬物이 極盛의 度를 넘어서 이제는 막 裏退해지려는 모습을 意味하며 「午」라는 意義이다.

未란 萬物이 旺盛을 넘어서서 滋味를 갖춘다는 意味로 「味」라는 意義이다.

申이란 萬物이 모든 것을 갖추어 그 性을 完遂하는 段階인 모습을 意味하며 「身」이라는 意義이다.

酉란 萬物이 老成하는 모습을 意味하며 「飽」 또는 「酉」라는 意義이다.

成이란 萬物이 老에서도 一步後退하여 陰의 地中에 숨어드는 모습을 意昧하고 「滅」이라는 意義이다.

亥란 萬物이 陰氣中에 숨어들었으나, 아직 一點의 生氣를 兼備하여 봄을 기다리는 모습을 意味하며 「該」 또는 「核」이라는 意義이다.

以上 十二支의 字에서 說明한 意義이나 이것들은 本秘法에 있어서는 十二支의 象意로서 十干과 같이 便用하는 것이다. 더욱이 이 十二支가 어찌하여 動物의 이름을 빌어서 便用되는가 하는 것은 여러가지 說이 있겠으나 學文的으로는 아직 說明된 일이 없다.

一說에 依하면 中國의 東方朔이라는 智者가 一年 十二個月의 名稱을 無知한 農民들에게 잘 알게끔 하기 爲해 十二支의 文字로부터 連想한 動物名을 맛다고도 한다.

또 中國의 古書인 協紀變方書에는 各 十二支가 表示하는 象意에서 動物名도 맛다고도 하는 說明도 있으나 어느 것이나 十二支와 動物과는 別로 連關이 없다고 보아도 無妨하리라 본다.

本易法을 使用하여 干支의 判斷상 子의 性格이라든가 象意라는 것을 가지고 利用하여도 그것은 어디까지나 形式上의 象意性格인 것일 뿐이며 子가 쥐이며 그 行動을 따서 說明한 것이 아니라는 것을 깊이 注意하지 않으면 안될 것이다.

第三章 五行 十干의 象意

(1) 干支의 象意란

本易法을 應用할 때에 우선 第一 먼저 使用하는 것이 前述한 「十干 十二支」이며 「陰陽 五行 强弱 相生 相剋 比和 衰表」 等의 關係를 살핌으로서 事實을 細密히 判斷하는 것이나 그 基本이 되는 것이 이 「十干 十二支」가 갖는 意味에 依한 것이다.

그것에 나타난 十干이나 十二支가 무엇을 意味하는가, 무엇을 表示하고 있는가, 하는 點이 가장 重要한 것이다.

이 十干 十二支의 하나하나가 갖고 있는 意味를 象意라고 하며 大端히 重要視하고 있는 것이다. 때문에 그 十干 十二支의 象意를 完全히 解得함으로서 實로 活潑하고 自由自在한 判斷을 할 수 있게 되는 것이다.

例를들면 여기에 「甲」이라는 十干과 「子」라는 十二支가 表出된 경우에 「甲」은 어떠한 意味를 가지고 있는가. 또 子는 어떠한 意味를 가지고 있는가. 그것들(干支)의 各各의 意味(象意)에서 結婚궁합을 보는 경우라고 한다면 「相對의 性格은?. 容貌는?. 그의 交際狀態는?. 成否는?. 그의 吉凶은?.」 等等 이와 같이 그 干支의 象意로 미루어서 判斷해 가는 것이다.

故로 이 十干 十二支의 象意는 大端히 重要한 故로 若干 詳細하게 記述할까 한다. 그것들의 象意는 모든 物體의 形狀 數 그 狀態 生物의 生態 數 그 容意 事實의 意味 그의 狀態를 表現하게 되는 것이다.

(2) 五行의 象意

本 易法에 있어서 五行이 어떠한 意味를 가지고 있으며 어떠한 象意를 가지고 있는가를 여기 記述한다.

(3) 木性이 表示하는 意味

發展 活潑을 意味하며 奮動을 主로 한다.

四季로는 春
方位로는 東方
五官五臟으로는 鼻와 肝臟
五味五色으로는 酸味와 靑色
五音成數로는 角音과 三八

五常으로는 仁

人間의 ┤ 容貌 ┤ 顔色은 蒼白 頭部는 小
　　　　　 肩幅은 大、長身
　　　　 性格 ┤ 性格은 矛順 仁心
　　　　　　　 平和性의 所有者

(4) 火性의 表示의는 意味

旺盛 美麗를 意味하고 明智를 主로 한다.

四　季　夏

方　位　南方

五官五臟　眼과 心臟

五味五色　苦味・赤色

五音成數　徵音 二、七

五　常　禮

性格容貌　顔色은 赤色、顔形은 날카롭고 顔部는 小、體格은 허리 둘레가 통통하고 手足은 身體에 比하여 작다。 性情은 大端히 明朗 禮儀方正 正直하나 苦干

性急한 面이 있다.

(5) 土性이 表示하는 意味

調和 色合을 意味하고 變化를 主로 하였다.

四季   土用

方位   中央

五官五臟 皮膚와 脾臟

五味五色 甘味와 黃色

五音成數 宮音 五、十

五常   信

容貌性情 顏色은 黃色、顏形은 圓刑、福스러워보이고 살집좋고 大形 性情은 度量이 있고 沈着하며 責任感과 信義가 두텁다.

(6) 金性이 表示하는 意味

收縮 殺滅을 味意하며 愉悅을 主로 한다.

四季   秋

(7) **水性**의 表시하는 意味

伏臟 低下를 意味하고 危險을 主로 한다.

方位	西方
五官五臟	口와 肺臟
五味五色	辛味 白色
五音成數	商音 四、九
五常	義
容貌	顔色은 白色、顔形은 小 눈은 맑고 鼻形은 높고 身體는 苦干 小形。
性情	義를 重要視하며 淸廉決白하고 活動的 行動者。
四秀	冬
方位	北方
五官五臟	耳 腎臟
五味五色	鹹味 黑色
五音成數	羽音 一、六
五常	智

容貌　顔色은 苦干 黑色을 띠고 顔部는 크고 살집이 좋다.

性情　智貌에 秀發하며 學識이 豊富하다.

以上이 五行의 象意이나 이것은 五行만을 單式的으로 본 때의 象意解說로서 判斷에는 이 五行에 十干을 和合하여 複式으로 觀察하는 것이다.

(8) 十干의 象意

本秘法에 있어서 十干이 表示하는 意味나 象意를 다음에 記述 表示한다.

(9) 甲의 表示하는 意味

이것은 十干의 始初이기 때문에 「事之初」 「새로운 氣」라는 意味를 지니고 있다. 또 草木 이 봄의 氣運을 받아 甲(支甲)을 깨고 이어간다는 意味임으로 「向上 發展 活氣 活潑 沈着 振動」 等이 代表的인 意味이다.

※ 甲의 基本原理

五行　陽性의 木性

季節　春

時間　새벽(寅時)
方位　東方
十二支　寅
色彩　青色
五味　酸味
數　一、六
易象　震三
九星　三碧
人物　長男 主人 主人格인 者、尊長人 頭領 指導者 指揮者 高尙한人 勇氣 있는 者、慈悲心이 豊富한 者 顔色이 蒼白한 者。
容貌　頭形은 兒形、眼力은 鏡利、體高는 中丈人이다。
性情　忍耐力이 强하고 精神堅固하여 他人에 不遂하며 默默하며 勤勉形 家庭에는 無關心、公其事業이나 他人을 爲해 獻身的인 氣質、多數는 上位에 이른다。
人體　頭 목의 上部 兩肩、顔面 肝臟。
疾病　前記、人體部와 關連된 疾病 頭痛 首와 肩의 담、히스테리症 神經痛、痙攣性疾病、위장、肝臟障碍、心臟과 脾臟의 衰弱。

⑽ 乙의 表示하는 意味

乙은 必女、處女의 意로서 아직 一身의 安定을 갖지 못하고 흔들흔들 男子를 따르는 小女의 象에서「不決斷」「迷」라는 意味를 갖고 있다. 또「色變의 煩惱 邪氣 陰性 內攻性」등 이 代表的인 意味이다.

場所　立木이 많은 곳。平地、貴人이나 尊長者가 있는 곳。材木집 新開發地。
品物　木에 關한 物件(材木 柱、合板業) 加工物은 除外。頭上에 모시는 **物件**。
雜象　發芽 새로운 일。새로히 시작하려는 일。

※ 乙의 基本原理

五行　陰性의 木性
季節　春의 終了
時間　이른 아침、六時項(卯時)
方位　東南方
十二支　卯
色彩　綠色

五味	酸味
數	二、七
易象	巽(三)
九星	四緣
人物	小女、長女、邪智가 있는 者, 허리가 구부러진 사람, 꼽추, 절름바리, 흔들흔들 허둥대는 者。
容貌	顔色은 赤白, 마른 形。
性情	丹滿한 氣性을 가추고 있으며 日常行動도 穩和하며 軍色情에 빠지기 쉽고 每事에 겁이 많은 心弱한 氣質。
人體	手、兩足、腰、人體의 구부러진 部分、肝臟의 從配로 함。
疾病	前記 人體部에 關한 疾病、其他 感胃、肩部함、手足의 부음、脚氣 또는 「甲」의 疾病에 이환하는 일이 많다。單 甲의 疾病보다 가볍거나 內攻性의 疾病。
場所	曲所、구부러진 길목、道路의 交叉點 道路의 角에게 두번째집 女子가 살고 있는 집。
物品	구부러진 物品, 女性이 갖는 物品土瓶, 주전자와 같이 손으로 잡을 수 있게 손잡이가 있는 物品、加工을 한 木工品等。

⑾ 丙의 表示하는 意味

丙은 盛旺한 氣를 表示하고 「活發」「사치」등의 氣가 된다。 앞으로 앞으로 前進만 하고 後退를 모르는 氣性이다。 亂暴의 意 「산만」怠慢 易親易悚 卽 親하기 쉽고 머러지기 쉬운 氣、華麗등이 代表的인 意味이다。

雜象 유사한 意로 한다。 備屈性의 意色情의 苦惱、二心之相 右往左往하는등 당황하는 마음。

※ 丙의 基本原理

五行　陽性의 火性
季節　要節의 初期
時間　正午
方位　南方
十二支　午
色彩　赤色
五味　苦味

易數　難(三)

九星　九紫

人物　中女、中年者 智惠가 있는 者。美人、화려한 사람。騷亂한 者 他人의 눈에 띠기 쉬운 者。

容貌　顏大、顏廣、顏色은 光澤이 있고 美麗한 顏形。身體는 肥大形。

性情　明朗快活한 性格、氣性은 沈着性의 不足함。

人體　眼、精神、心臟。

疾病　熱病、心臟病、眼疾、動傷、精神錯亂症、急性肺炎、漢方醫가 말하는 心臟系疾患 肺脾의 衰弱。

場所　華美、繁昌한 場所。騷亂한 場所 모퉁이에서 세번째집。불을 取扱하는 場所、美術品이 있는 場所、大衆이 많이 모이는 場所。

物品　火에 關連된 物品、아궁이의 불、人工的인 불、아름다운 物品、四角이 진 物品、赤色物品。

雜象　華麗하고 陽性的인 氣、色情之意 激함。色情의 意 도 一時에 發하고 一時에 消滅되는 氣。

⑿ 丁의 表示 하는 意味

丁은 寧(平安하다, 쉽다)의 丁으로 (穩)氣로 한다. 沈着한 意、親切 恭敬의 **意**、또 事에 臨하여 從함의 意, 其他 柔順 부드러움의 意를 表示한다.

※ 丁의 基本原理

五行　陰性의　火性。
季節　夏節의　終期
時間　十五時頃
方位　南南 西方
十二支　巳
五味　苦味
數値　四、九
易象　離(☲)
九星　九紫

人物　中年人、沈着人、柔和人、文學者、敎育者、紙物에 關係있는 者、書店、文房具店 紙物舖。

容貌　親切하고 矛和하고 豊美한 顔形、顔色은 桃色。

性情　溫和하고 每事 親切하며 穩矛하나 若干은 積極的인 氣性이 있다。

人體　首胸耳。

疾病　前記 人體部位에 關한 疾病、微熱의 症勢、胃腸疾患、胸部의 微熱、面에 關連된 疾病의 輕症。

場所　조용한 곳、平壇한 곳、本屋이 있는 곳、學校의 옆、圖書館 其他 文書에 關係된 場所。

物品　아침해。힘이 없고 아주 작은 불、自然火、紙類、書籍、出版物 等。

雜象　事物에 親切 공손의 意、沈着之 意熱誠之意。

(13) 戊의 表示하는 意味

戊는 「무너지기 쉽다」는 뜻으로 한다。沈着치 못한 뜻。당황함이 甚하고 每事에 不定性으로 한다。또 反復의 意。

※ 戊의 基本原理

五行　陽性의 土性
季節　夏節의 土用
時間　夜半의 二時頃
方位　東北方
十二支　辰과 戌
色彩　黃色
五味　甘味
數值　五、十
易象　艮(三)
九星　八白
人物　中年人、放浪人、山에 關聯있는 者、旅行者、外交員、無定見之人、卽 主觀이 不確實한 者 또는 애매한 사람.
容貌　顔骨이 뚜렷한 者、날카로운 눈매、顔色은 若肝 가무잡잡하다.
性情　自尊自慢의 氣가 많고 備屈性이 있고 非社交的.
人體　胸中、背、指、腰、手、胸、脾臟.

(14) 己의 表示하는 意味

己는 大體로 戊와 大體로 같은 性質을 갖으나、不安定의 氣로하고、善으로도 惡으로도 될 수 있다. 당황기 變化之意 單只 戊와 다른 點은 무너지기 쉽고 不安定하나 每事 一旦은 成就된다는 意가 있는 點이다.

雜象　당황하는 마음으로 한다. 每事、成就되기 어려운 氣、실증의 意.

物品　山土、부스러지기 쉬운 物品、망가지기 쉬운 物品、사기製品、유리製品、붙인物品、이불.

場所　山、山의 높은 곳、모서리가 부스러진 곳、山의 밑.

疾病　毒性疾病、腫物、性病、瘡毒、脚氣手足의 傷處.

※ 己의 基本原理

五行　陰性의 土性
季節　四季의 土用
時間　午前三時頃
方位　南西方

58

59

十二支　未、丑

色彩　薄黃色、薄灰色

五味　甘味

數値　六、一

易象　坤(☷)

九星　二黑

人物　中年人、女子의 穩居、港婆、每事에 당황하는 者。

容貌　顏形은 戊와 近似、顏色은 比較的 힌便。

性情　表面은 穩和하나 내면은 計略을 품는 斯欺的氣質、起業心이라 할 수 있는 性品。
또 內向性이며 恒常 決斷性이 不足하여 갈팡질팡하는 性格

人體　腹部 消化器 脾臟

疾病　前記 人體部에 關聯된 疾病으로 消化器疾患 어린이의 腫物、漢方醫에서 말하는 脾系에 依한 疾患、肺、腎의 衰弱

場所　平地 庭園 平野 조용한 곳。

物品　平地의 土、흙으로 만든 物品、布製品 等。

雜象　大瑞히 不安定한 氣로 한다。 갈팡질팡 整理되지 않는 意 佳所。 職業 男女因像이

⒂ 庚의 表示하는 意味

庚은 更의 意의 變化한 것으로서 「흔들거리며 整理되지 안음」의 氣로 한다. 「變化更新」하는 意、우물쭈물하고 決斷이 없음의 意、마음의 決定을 安定치 못하는 意、또 色情의 意 變하기 쉬움의 意가 있다고 한다。 沈着 고요함의 意로 한다。 等이 있다。

※ 庚의 基本原理

五行 陽性의 金性
季節 秋節의 初期
時間 申時
方位 西方
十二支 申
色彩 白色
五味 辛味
數値 七、二

易象　兌(☱)

九星　七赤

人物　小女、妾、遊女、技生、藝能人、물장사하는 女子、댄사、非處女、게질맞은 者。

容貌　顏色은 白色、骨格이 큰 體格、大體로 반듯한 容貌。女性은 아름답고 쎅시함。

性情　깊이 生覺하는 일 없고 每事 自身이 生覺한 것을 直時 行動으로 옮기는 性格。能辯하고 萬事 輕薄하고 變하기 쉬운 性格으로 한다。

人體　口腔、呼吸器、胸部、齒、肺臟

疾病　前記에 關한 疾病으로 口腔疾患、胸部疾患、傷身、漢方醫에서의 肺系疾患、腎과 肝臟의 衰弱

場所　遊技場、賣春業所、花柳界、飮食店、카바레、빠ー、나이트클럽、女性이 많은 곳 시끄러운 곳。

物品　山에서 나는 地金、큰 車、機械、큰 鐵物。

雜象　어떻게든 된다는 意、變化하기 쉬운 意、女難色情의 意。

(16) 辛의 表示하는 意味

辛은 「辛苦」한다는 뜻。銳敏。急性의 氣。困難의 意。大端히 勞苦한다는 뜻。短氣 剛情

一克의 氣等。

※ 辛의 基本原理

五行　陰性의 金性
季節　中秋에서 晚秋
時間　酉時
方位　西丑方
十二支　酉
五味　辛味
色彩　青白色
數值　六、三
易象　乾(三)
九星　六白
人物　苦生之人、偏屈性人、警察人、法廷人、紳士、時計舖、機戒商、貴金屬商、煙草販賣所、藥房
容貌　全體的으로 小形 등이 구부러진 者。顏色은 히고 날카로운 顏形。

(17) 壬의 表示하는 意味

雜象 不實性이며 自己本位의 氣質, 삐치기 잘하고 惡에 물들기 쉬운 氣質, 困難之意.

物品 加工된 鐵物品, 加工된 金製品, 굴고 작은 物品, 時計 貴金屬店舖, 自轉車, 自動車, 釘, 藥品, 煙草販賣所, 藥類.

場所 官廳, 警察, 裁判所, 刑務所, 機械가 있는 場所, 工場, 조용한 곳, 危險, 險難한 곳.

疾病 胸部疾患, 腫物, 癌傷身, 刃物傷害, 手術을 要하는 疾患.

人體 呼吸器, 胸, 肺臟의 從配.

性情 疑心, 嫉妬心强, 神經質, 歐情, 偏屈性的 性格.

壬의 困難의 氣이다. 限이 없다. 끝이 없다. 망막하다는 意가 있으며 每事에 苦生한다는 뜻이 있다. 그外에 客嗇 잔말이 많다. 귀찮다는 等의 뜻이 있다.

※ 壬의 基本原理

五行 陽性의 水性

季節 冬

時間	戌時
方位	北方
十二支	子
色彩	黑色
五味	甘味
數値	九、四
易象	坎(☵)
九星	一白
人物	苦生之人(惡이 있는)、浮浪者、盜賊、船員、旅舘業者、藝能人、料理人。
容貌	顔色은 若干 가무잡잡하고 顔形은 크고 鼻目은 確實하다.
性格	느긋하며 忍耐力이 強하며 남에게 속기 쉽고 言語行動은 柔和한 態度이다.
人體	耳、性器、肛門、腎臟
疾病	前記部位의 疾患、身體의 上半身部位의 水氣、漢方醫에서 말하는 水毒、腎臟病、胃臟病、腰下病、痴疾、性病、婦人科疾患、精力缺乏症肝、心의 衰弱。
場所	海、大河、河岸、大池、그 側近、暗所、조용한 곳。
物名	根이 없는 것, 食物, 酒, 料理, 飮料水 等。

⑬ 癸가 表示하는 意味

癸는 陰의 極으로서 「事物의 終末」의 氣로 한다. 「부산하다, 激하다」는 氣로 한다. 「終으로서 新으로 返復한다」는 意로도 한다. 또 「방정맞다」라는 意로도 한다. 「終了로서 始作」의 意로도 한다.

雜象 苦生氣 힘이 드는 것, 不活潑한 氣等으로 한다.

※ 癸의 基本原理

五行   陰性의 水性
季節   冬節의 寒中
時間   夜半의 十二時頃
方位   東北方
十二支 亥
色彩   연한 灰色
五味   甘味
數値   十、五

易象　坎(☵)

九星　一白

人物　老파、惡運之人 決斷을 못하는 사람、始作은 좋으나 끝이 나쁜 사람、恒常 갈팡질팡하는 사람.

容貌　顏色은 희고 若干 큰 體格.

性格　大端히 사귀기가 어렵고 若干 멋없이 뚝뚝하며 固執스럽고 굽힐 줄 모르는 사람 活潑過敏하며 沈着性이 不足하고 시끌덤벙한 氣性이다.

人體　胃腸、血液、腎臟의 從配.

疾病　前記部位에 關한 疾患、身體下半部 身體의 水氣血毒(漢方醫에서 말하는 瘀血、汚血、古血位) 腎臟病、脚氣、病勢는 前보다 重한 것으로 한다.

場所　川、小川、激流、川岸、水邊、小池 물과 因緣이 있는 場所.

物品　大體로 壬과 同類이다.

雜象　事物의 終了、故로 事物을 整理한다는 意味가 있다. 事物이 變하기 쉽다는 意, 남의 忠告를 안 들어서 苦生하는 氣로 한다. 또 不決斷의 意로도 한다.

第四章 十二支의 象意

十二支의 象意

本秘法에 있어서 十二支가 表示하는 意味나 象意를 다음에 記述한다. 秘法에는 主로 人間의 性情, 容貌, 疾病位의 肉體關係를 主로 하여 鑑定하는 데에 使用한다. 故로 象意는 그 方面에만이 揭載한다.

(1) 子의 표시하는 의미

滋潤과 增生을 意味하는 것이다. 또 吝嗇이라는 뜻. 이 性은 大端히 怜悧하며 細細한 것에도 마음이 잘 써지게 되는 特徵이 있고 儉素 儉納 正直의 뜻이 있다. 이 氣는 事物이 充滿한다는 뜻이다. 希望은 成就될 수 있다는 뜻도 있다.

容貌 그 形은 작고 顏色은 若干 검은 便이다. 相貌는 野卑하게 보이며 品位가 없으며 身長은 작은 便이며 若干 肥滿形이다.

性格 그 性格은 吝嗇하며 수치가 많은 것으로 한다.

五官 눈섭은 眉頭가 豊富하며 가늘고 眉尾(눈섭꼬리)는 살집이 있고 눈은 가늘고 矛

諸事가 結滯한다는 意味를 갖는 것이다. 또 不活潑이라는 뜻이 있다.

이 性은 陰氣이며 말이 別로 많지않는 寡默形이며 義理心이 굳고 正直하고 每事에 執念形이라는 意가 있다. 또 活潑하지 못한 險이 있으면서도 突然 亂暴해지는 性質이기도 하다.

이 氣는 每事 中途에서 止滯되어 위로 뻗지도 못할 뿐더러 아래로도 通하지 못한다는 뜻이 있다.

希望은 通達한다는 뜻은 있으나 大體로 止滯되는 일이 많어 좀처럼 進步되지 않는다는 뜻이 있다.

容貌 그 形은 크고 顔色은 검다. 相貌는 陰鬱한 便이며 元氣가 없고 身長은 큰 便이

(2) 丑의 表示하는 의미

疾病 허리보다 下部의 疾患, 性病, 婦人病, 消化器疾患, 中風으로 한다. 더우기 子의 特性은 中風은 治療되기 어려우나 他病은 곧 治療되는 것으로 한다.

하며 눈꼬리나 눈 밑部分에는 주름이 있으며 코는 날카롭지 않고 부드러우며 獅子코같은 形으로 입모양은 所謂 四字形이며 귀는 上部가 작고 下部는 살집이 도톰하고 느러지지 않었으며 形은 큰 相이다.

68

(3) 寅의 표시하는 의미

淸廉潔白이라는 意味를 갖는 것이다. 또 盟氣 或은 威氣의 뜻으로도 한다.

性格   그 性情은 事物을 지킨다는 點에 對하여 大端히 堅固한 點이 있다.

五官   눈섭은 眉頭보다 눈섭꼬리쪽으로 눈섭털모양이 나쁘고 숭성숭성하여졌으며 눈은 形이 대나무 잎모양과 비슷하며 눈꼬리는 若干 치켜올라간 모양이며 눈동자는 윗쪽으로 올라갔으며 코는 小鼻가 작고 코 끝이 튀어나왔으며 입은 입술이 두텁고 귀는 살집이 얇고 가장자리가 外側으로 나와있는 相이다.

疾病   消化器疾患、腫物、性病、神經衰弱 位으로 한다. 더우기 忍의 特徵은 疾病은 一般的으로 長期日은 要하나 治療되는 것으로 한다.

이 性은 陽氣이며 活潑하고 더우기 義俠인 듯이 있다. 이 氣는 每事에 氣가 强한 性이기도 하다. 決斷力이 强하고 競爭心이 過激한 性質이기도 하다. 希望은 每事에 好調의 뜻이 있으나 婚姻 金錢相換의 交涉 位은 後에 되돌아온다는 뜻이다. 破하여지는 뜻이 있다.

容貌   그 形은 頭相은 작고 顔色은 靑白하다. 相모는 活潑하며 盟氣를 內包하고 있으

性格 그 性情은 猛氣가 充滿하고 또 威嚴이 豊富한 性이다.

五官 눈섭은 眉頭가 若干 올라가 있으며 눈섭꼬리쪽은 勢가 있어 보이게 굵고 毛가 豊富하며 눈은 若干 치켜올라갔으며 힘이 있어 보이는 눈초리이고 코는 코줄기에 若干의 段이 있으며 小鼻는 比較的 작고 입은 緊張味가 있으며 입술은 두텁고 그리고 威嚴이 있고 귀는 살집이 두텁고 단단한 맛이 있는 相이다.

疾病 比較的 健康한 便이나 胆石症 脚氣呼吸器疾患을 罹患하는 것으로 한다. 더욱이 寅의 特性은 疾病은 速히 治療되는 것으로 한다.

(4) 卯의 表示하는 意味

豊滿하며 유順을 意味하는 것이다. 또 遊情 怠慢等의 意로도 한다.

이 性은 明朗 溫和 愛敬이라는 意가 있다. 또 酒色에 빠지고 諸事를 放任해 버리는 性이기도 하다. 이 性은 萬事에 느리며 止滯된다는 意가 있다.

容貌 그 形은 크고 살집이 좋은 顔形이며 顏色은 青白하다. 希望은 每事 通達된다는 意가 있다 營養攝取가 잘 되어 節肉은 肥滿刑이며 또 유연하다.

性格 그 性情은 너그럽고 조용하다.

70

(5) 辰의 表示하는 意味

분노 분격을 意味한다. 교만 爭論 破壞등의 意가 있다. 또 自負心이 强하고 怒氣가 많은 性이다. 이 性은 豪灾하며 競爭心이 强하고 快活의 意가 있다. 이 每事에 爭事를 야기시키기 쉽고 天災 傷害의 意이다.

容貌 그 形은 크고 살집이 좋은 顔形이며 顔色은 青白하다. 관상은 男相이며 身體는 强하고 筋肉系統이 强하고 骨格이 外部로 나타나 보이는 形이다.

性格 그 性情은 外部에 나타내어 怒하는 氣가 强하고 大體로 爭論을 잘 벌리기 쉬운 性이다.

五官 눈섭은 가늘고도 길고 날카롭고 怒한 듯한 形이며 눈은 눈까풀이 얇고 흰자위부

五官 눈섭은 初旬달形 눈섭이며 眉頭부터 꼬리까지 같은 굵기이며 털이 얇고 눈은 눈까풀이 두텁고 眼頭에 깊이 파여있으며 코는 穩和하며 너무 높지 않고 둥근맛을 띠고 있으며 입은 입술이 얇고 緊張되어 있으며 形이 좋은 相으로 귀는 全體가 부드럽고 완고하게 째인 맛이 없어 보이는 相이다.

疾病 呼吸器疾患, 脚氣, 胆石, 肝臟炎病, 性病, 中風으로 한다. 더우기 卯의 特徵은 中風은 治療되기 어렵다. 그러나 其他의 疾患은 長期를 要하나 치료된다.

(6) 巳의 表示하는 意味

靜止 질투의 意로 한다.

疾病 이 많고 코는 살이 얇고 날카롭게 뾰죽하며 입은 얇고 八字形이며 귀는 얇고 귀全體가 치켜올라 간듯하며 上部가 뾰족하게 보이는 相이다. 어깨가 굳어지는 症狀, 筋肉이 땡기는 症狀, 神經痛, 關節炎, 眼病, 神經衰弱으로 한다. 더우가 辰의 特徵은 神經的인 히스테리 및 眼病은 治療되기 어려운 것으로 한다.

容貌 그 形은 작고 계란形이며 美麗形이고 顔色은 히면서도 若干 노란色이 비치는 것으로 관상은 柔和하며 美色의 相을 갖추고 體格은 榮養이 좋은 便이며 皮膚의 色은 潤艷色을 띤다.

希望事는 結婚이나 男女關係以外는 通達되는 것이다.

이 性은 思慮가 깊고 怜悧하며 技藝方面에 材質이 있음의 意가 있다. 이 氣는 嫉妬心이 강하고 他人에게 원한을 품고 害를 加한 量言하고 執念이 강한 性이다. 또 忍耐力이 있어 다는 意가 있다.

性格 그 性質은 嫉妬心이 강하고 執着心이 있는 性格이다.

(7) 午의 表示하는 意味

五官 눈섭은 털이 작고 짧으며 肩頭에서 중간정도까지는 아주 肩毛가 얇고 눈은 짧고 눈까풀도 쌍까풀이 지지 않았으며 瞳子가 작고 코는 過히 높지 않으며 동그라며 若干 구슬같은 形이며 입은 입술이 緊張되어 보이며 작고 色彩와 潤氣가 良好하고 귀는 살이 단단하며 小形이며 全體的으로 둥근 氣가 있는 相이다.

疾病 無病한다. 單只 神經衰弱 眼病이 있는 것으로 한다. 더우기 巳의 特徵은 病患은 長時間을 要하나 治療되는 것으로 한다.

合同 協和 活潑 派出을 意味한다.

이 性은 陽性的인 氣이며 每事에 권태를 느끼기 쉬운 意가 있다. 또 大難 女難 金錢上의 苦生이 있다는 性이기도 하다. 이 氣는 華麗하며 騷亂스러우며 붙기쉽고 떨어지기 쉬운 意이기도 하다. 希望을 急하게 行하면 通達되는 意.

容貌 그 形은 크고 살이 있고 顏色은 붉은 氣를 띠며 관상은 애교가 있고 陽性的인 性質로 身體는 영양이 可히 良好하다.

性格 그 性質은 熱하기 쉽고 冷해지기 쉬운 便이며 조용한 것을 不好하고 시끌덤벙한 것을 좋아하는 便이다.

(8) 未의 表示하는 意味

눈섭은 初旬달形보다 苦干 더 가늘고 털도 짧고 가늘다. 엷고 부드러우며 눈은 가늘고 눈밑에 주름이 있고 兩眼의 사이가 넓게 떨어져있으며 코는 둥근 便이며 넓고 크고 입은 입술이 얇고 옆으로 길고 귀는 모가진 形으로 頭部에 붙어 있는 것 같은 相이다.

疾病 熱病 眼病 心臟病 脚氣 頭痛 性病으로 한다. 더우기 干의 特徵은 熱病과 眼病以外는 速히 治愈되는 것으로 한다.

老鍊하여 每事에 精密하며 用意周倒함의 意味를 갖는다.

理性은 每事에 熱心스럽고 꾸준하며 好學心이 强하고 유순하며 恭敬 親切하다는 意味가 있다. 또 小心하며 每事에 活潑치 못하며 變化한다고 하는 性質이 있다. 이것의 氣는 편협되기 쉽고 大體로 對外的으로는 일은 도사리는 意味가 있기도 하다.

希望 每事 好調하는 意

容貌 그 顔形은 작고 顔色은 히고 깨끗하고 秀麗하며 그러나 一面 상모에 愛鬱한 맛이 풍기고 있으며 身體는 筋肉이 苦干 弱薄하다.

性格 겁이 많은 便이며 每事에 理由와 辯明이 많은 氣가 있다.

(9) 申의 表示하는 意味

五官　눈썹은 가늘고 形이 明月과 비슷하며 흔히 말하는 菩薩눈썹과 흡사하다. 눈은 둥글고 작고 눈까풀은 불거져 있고 코는 小鼻가 없는 듯하며 코끝이 뾰죽히 날카롭고 입은 입술이 두터우면서도 작고 緊張味가 있으며 귀는 全體의 살이 얇고 그리고 작으면서 아담하게 보이는 相이다.

疾病　神經系統、神經衰弱의 疾患、頭痛、腦病、呼吸器疾患、慢性的 疾患으로 한다. 더우기 未의 特徵은 長時間을 要하나 大體的으로 治愈된다.

施綬性을 意味하며 一面 교재 虛言 盜難의 뜻이 있다.

이것의 性質은 機敏하며 交智가 있으며 能小能大하며 進取的이라는 뜻이 있다. 또 利己主義的이고 권태 실증을 잘 느끼며 變心 移心 等의 性質이 있다. 大體的으로 每事에 輕薄하며 氣質이 變하기 쉬우며 매우 늑장을 부리는 게으름의 뜻이 있다.

希望　急히 서둘러 行하면 通達되는 듯.

容貌　그 顔形은 若干 작으며 顔色은 붉은 氣가 감도는 便이며 상모는 날카로우며 경망스러우며 身體는 大體的으로 榮養性이 좋은 便이며 身長은 若干 작은 便인 것이다.

性格　大端히 교만하고 輕薄하다. 信義心이 薄弱하여 些少한 利害關係에 있어서도 언제든 背信할 수 있다.

五官　눈섭은 눈섭꼬리가 上下갈라저 있고 눈은 쌍가풀이 져 있으며 코는 比較的 높고 鼻口가 눈에 보일 程度 鼻頭가 위로 올라갔으며 입은 입술이 두텁고 色은 붉으면서도 검은 氣가 돌고 若干 말린 듯이 보이며 귀는 上部가 크고 中部가 튀어나온 듯한 相이다.

病疾　腦疾患、眼疾患、耳鼻咽喉의 諸疾患、婦人病、性病、難產으로도 한다. 또 申의 特徵은 疾病에 罹患되기 쉽고 治癒되기도 쉽다. 腦 眼 產等은 重病으로 한다.

(10) 酉의 表示하는 意味

墮落을 意味하며 華麗 미모 단정 虛榮 狡智等의 뜻이 있다. 이것의 性質은 조용하며 智謀가 깊고 每事에 재주가 있다는 뜻이다. 또 교만하며 智에 自慢이 지나쳐 언제나 他人을 속이려 하는 性質이다. 이것의 氣는 每事에 敏捷하고 萬事에 잘 通하기 쉽다고 하는 뜻이 있다.

希望　每事를 이루울 수 있다는 뜻이 있다.

容貌　그 顔形은 작고 顔色은 히다. 성격은 怜悧하게 보이며 音聲이 맑고 깨끗하며 身

(11) 戌의 表示하는 意味

戌은 意味한다. 陰險 正義 忠實 爭論等 이것의 性質은 陰性으로 因苦함을 참고 熱心 剛胆이라는 意味이다. 또 心思가 나쁘고 심술궂고 怒氣를 恒時 갖고 있어 싸움 爭論이라는 性質이다. 이것의 氣는 家庭에 爭事를 이루기 쉽고 大體로 일을 망가트리는 뜻이다.

希望 諸事破해지기 쉽고 通達되기 어려운 뜻.

容貌 그 顔形은 작은 便이며 顔色은 히다. 관상은 怜悧하며 音聲은 맑고 깨끗하고 身體는 크지도 작지도 않은 適當한 便이다.

性格 그 性質은 매우 活達하나 大端히 교만性이 强하다.

관상 눈섭은 위쪽을 向해 치켜젖이면서도 털은 가지런하고 가늘고 눈은 눈꼬리가 위로 올라갔으며 눈까풀은 쌍까풀이 져 있고 眼光에 힘이 있으며 코는 힘이 强하게 보이며 더우기 날씬하게 보이며 입은 위입술이 아래입술을 덮은 듯이 누르고 그리고 緊張味가 있으며 귀는 둥그스럼한 맛이 있고 그러면서도 크고 福귀의 相이다.

疾病 呼吸器疾患, 속아리, 眼疾患, 性病, 胃腸疾患, 腫氣類로 본다. 더우기 酉의 特徵은 大病은 없으나 小病이 慢性化할 뜻이 있다.

性格 體 모두가 中間정도 即 普通이다. 그의 性質은 內部로 恒時 怒氣를 强하게 간직하고 있어서 自己 本位的이며 심술 궂으며 心思가 나쁘고 그 反面에 義理面에서는 大端히 强하다.

관상 눈섭은 덥수룩하고 굵고 눈은 쌍거풀이 져 있으며 위로 치켜 올라 간 맛이 있으며 코는 크고 若干 獅子코形이며 입은 두텁고 옆으로 크고 귀는 形은 찌그러진 듯한 形이며 살집이 두터운 相이다.

疾病 眼疾患, 過勞, 神經衰弱, 精神異狀症勢 等 더우기 成의 特徵은 疾病은 重患이며 治愈되기 어려운 것으로 한다.

⑿ 亥의 表示하는 意味

實直을 意味한다. 또 獨斷 短慮 獨剛一邊倒로 이것의 性質은 솔직하며 每事에 果斷性을 갖는다는 意이다. 또 遠謀(即 長期的인 周密한 計劃性)가 없기 때문에 일에 있어서 大失敗 頑固等의 性質이 있다. 이것의 氣는 每事를 一邊倒式으로 處事하기 때문에 後事를 고려치 않는 경솔이라는 意이다.

希望 每事 好轉的으로 된다.

容貌 그 顏形은 크고 살집은 普通的이고 顏色은 黃色氣味를 띠고 있다. 관상은 淳朴

한 맛이 있고 身體는 살집이 普通이다.

性格 그의 性質은 한눈을 팔지 않는 오직 한가지에만 全力을 다하는 性品이다.

五官 눈섶은 波濤形과 같이 구불구불하고 中間이 若干 내려앉은 맛이 있으며 눈섭꼬리가 굵고 눈은 동자가 작고 눈알은 크며 눈까풀은 얇고 쌍거풀이 젔으며 코끝이 날카롭고 뾰죽한 듯하며 若干 내려 앉았으며 입은 꽉 다물어져 緊張味가 있어 形이 좋은 相이다.

疾病 胃腸病、腎臟系疾患、脚氣、性病、婦人病等이다。亥의 特徵은 질병은 속히 治癒되는 것으로 한다。但 脚氣 腎臟病은 注意를 要한다.

이것으로서 十干과 十二支에 對한 各字의 特徵、個有意等을 說明하였다。 무엇보다도 다음에 記述하는 鑑定法에 있어서 各己의 字意와 字의 特徵을 十二分 活用하여야만 되는 것이니 學者들은 字意와 字의 特徵을 充分히 納得理解해주기를 바란다。

第五章 干支特術秘法의 鑑定法

(1) 감정을 爲한 준비

「干支特術秘法」은 前章까지 記述한 「十干 十二支」의 意義나 象意와 「五行 相生相剋」等을 使用하여 人事百般의 吉凶禍福을 鑑定하는 것이다.

本秘法은 어디까지나 十干과 十二支의 相互連關關係를 基礎로 하여 判斷하는 아주 至極히 簡單한 干支秘法으로 이것의 應用法만 잘 消化시켜 納得한다면 어느 누구를 莫論하고 直時 利用할 수 있게끔 되어있는 것이 他의 易術法보다 越等한 特徵이라 아니할 수 없다.

그러면 다음의 그 鑑定法의 비결이라 할 수 있는 根本的原則을 揭示한다.

一、그 鑑定하려 하는 日의 十干과 十二支를 表出하고 다음에 鑑定하려는 그 時間의 十干은 무엇이든 判斷하려고 할 때에

一、鑑定을 請하려 하는 者의 生年의 十干과 十二支를 表出하는 것이다.

(註) 이 境遇 男子로서 二十四歲 以前이라면 生月의 十干과 十二支를 表出한다.

二十一歲 以前이라면 男子와 같이 生月의 十干과 十二支를 表出하여 鑑定한다. 女子의 境遇로서

一、 表出된 日의 十干과 十二支와 時間의 十二支의 相生相剋을 參酌하여 鑑定한다.

以上의 四原則이 本秘法의 鑑定法의 重要한 方式이다. 故로 他의 難解한 運命諸法術과는 달리 그 日과 時間의 十干 十二支의 表出方法과 相生相剋을 理解하고 있다면 「何時라도 어느 곳에든지 누구든 어떠한 일이라」도 即席에서 확실하게 鑑定할 수 있는 것이다.

다음에 三原則을 더 좀 自細히 개별적으로 記述해 보고저 한다.

一、 이 鑑定法은 何事든 判斷하려고 할 때에 日과 時間의 十干 十二支에 依해서 鑑定한다.

二、 이 十干 十二支의 陰陽 强弱에 依해서 每事를 判斷하게 된다.

三、 이 十干 十二支의 五行의 상생상극관계에 依해서 吉凶禍福成否를 鑑定하는 것이다.

四、 鑑定을 請하는 者의 生年 또는 生月의 十干과 十二支와 日과 時間의 十干과 十二支의 相互關係에 있어서 鑑定한다.

五、 이 十干과 十二支의 相生相剋의 關係에 있어서 남은(我)(後述) 十干과 十二支의 意義 象音 氣質에 依한 鑑定事의 狀態를 鑑定한다.

六、 이 秘法은 十干의 象意에 依해서 鑑定事의 物象 其他를 鑑定한다.

七、 이 秘法은 十二支의 象意 氣質 其他에 依해 人事의 狀態、人物의 용모、氣質 等을 鑑定한다.

以上의 七個條의 原則에 依해서 이「干支特術秘法」의 判斷을 하게 되는 것이다.

(2) 十干 十二支의 表出方法

다음에 前述의 第一條인 十干 十二支의 表出方法을 記述한다.

※ 日의 十干과 十二支를 表出하는 方法
이것은 至極히 簡單한다. 一般的으로 市販되고 있는 干支가 記入되어 있는 曆이나, 카렌다를 利用하면 斷判하려 하는 日(或은 鑑定을 依賴받은 日)의 干支를 表示시키면 되는 것이다.

日의 干支를 찾아냈으면 다음은 그 日의 干과 支를 橫書한다. 干은 右側에 支를 左側에 例를 들면 西紀 一九八○年 十月 二十二日(陽曆)이면

　　　戊(干)
　　　辰(支)

또 同年同月 三十日이면

　　　丁(干)
　　　丑(支)

以上과 같이 記入한다. 이 日의 干支를 表出하는 方法은 他의 運命學과 何等에 다를 바가 없다. 그러나 時間의 干支를 表出하는 方法은 本秘法에서는 若干의 差異가 있는故로 注意를 要한다.

※ 時間의 干支表出方法

이것은 判斷을 하는(鑑定을 依賴받는) 時間의 干과 支를 表出해 내는 方法이다. 時間의 干支는 다음의 圖表에 依해서 어떠한 時間이라도 곧 表出할 수 있도록 되어 있다. 即 時間의 干支는 日의 干이 基礎가 되여 日干에 依해서 定해져 있다. 日干에 依해서 時間의 干支가 表出되게 되여 있다(四柱秘典册에 参考하기 바란다). 例를들면 午前 九時라 해도 前記의 戊日이라면「丙辰」의 干支가 表出되는 것이다. 더 좀 仔細히 例를들면 같은 午前 九時라도 丁日이면「甲辰」의 干支가 時間의 干支로 表出되는 것이다. 더 좀 仔細히 例를들면

甲日은 甲子時로부터 始作된다. 丑時는 乙丑時, 寅時는 丙寅時式이다.
己日은 丙子時로부터 始作된다.
乙日은 丙子時로부터 始作된다.
庚日은
丙日은
辛日은 戊子時로부터 始作된다.

丁日은 庚子時로부터 始作된다.

壬日은 壬子時로부터 始作된다.

戊癸 11時부터 1時까지 子時

3時間	5時間	7時間	9時間	11時間
寅時	辰時	午時	申時	戌時

1時間	3時間	5時間	7時間	9時間	11時間
丑時	卯時	巳時	未時	酉時	亥時

甲午日에 時間이 午前 九時라면 辰時가 되는데 甲日과 己日에는 子時가 甲子時로부터 始作되니 甲子 乙丑 丙寅 丁卯 戊辰 卽 辰時가 되는 것이다.

또 같은 九時라도 癸日이라면 戊日과 癸日에는 子時가 壬子時로부터 始作되는 法則에 따라 壬子 癸丑 甲寅 乙卯 丙辰 卽 丙辰時가 되는바 같은 九時라도 日干如何에 따라서 같은 辰時라도 時干이 달라지는 것이다.

이와같이 丁日의 午後 十時 二十分이라면 辛亥時가 되며 或 日이 丙日이라면 己亥時가 되는 것이다.

(註) 時間의 干支를 求함에 있어서 時의 干支는 二時間이 하나의 干支로 되어 있다. 卽 例를 들면 하나의 干支가 十二時 程度에서 一時 五十九分 十九秒까지는 그 干支다. 故로 或 一分이라도 지났을 境遇는 그것은 다음의 干支가 되니 그點 깊이 留意해주기 바란다. 前에도 記述한 바와 같이 時間의 干支는 他의 運命學과는 달리 一時間式 差異가 있으니 注意해 주기를 바란다. 他의 秘術은 奇數時間에 奇數時間 까지를 一刻 偶數時間에 偶數時間까지를 一刻으로 取扱하고 있으나 本特術法에서는 偶數時間에서 奇數時間으로 取扱하고 있는 것이다.

(註) 筆者는 그 點을 지금도 아직 究明中에 있으나 筆者의 경험에 依하면 어떠한 책에서

도 理由가 原理는 記述되어 있는 책은 없었다. 그러나 저자 경험으로 적중율이 높았다는 것을 직접 말해두고저 한다. 그러나 지금까지의 설명과는 조금 다른 것이나, 子刻에 있어서 午後 十一時부터 午前 一時까지라는 從來의 法에 關하여 今日의 子時가 來日의 子時로 分割한다는 것은 先輩들이 力說하고 있으며 中國의 「三才發秘」에도 子刻에는 兩時가 있다고 解說하고 있는 點本秘法에서는 若干 다르나 意外에 다이렇한 點에서 解明이 될 수 있는 것이 않인가 하고 生覺된다.

※ 鑑定을 依賴하는 者의 生年 或은 生月의 十干 十二支의 表出法

이 點은 市中의 每年 出版되는 擇日曆이나 曆書에 그 해의 干支가 나와 있으니 곧 判明될 수 있으나 月의 干支를 使用하는 境遇에는 表出하는 方法을 설명하겠다.

甲 年은 丙寅(一月)부터 始作되고
己
乙 年은 戊寅(一月)부터 始作되고
庚
辛 年은 庚寅(一月)부터 始作되고

丁 年은 壬寅(一月)부터 始作되고
壬
戊
癸 年은 甲寅(一月)부터 始作된다.

月、干支에 있어서는 어느 해나 支만은 不變이고 天干만 年干에 依해 變한다.

一月은 寅月、二月은 卯月、三月은 辰月、四月은 巳月、五月은 午月、六月은 未月、七月은 申月、八月은 酉月、九月은 戌月、十月은 亥月、十一月은 子月、十二月은 丑月이다. 그러면 月을 表示할 때 丁年의 九月이면 丁壬年은 壬寅으로부터 一月이 始作되니、二月은 癸卯、三月은 甲辰、四月은 乙巳、五月은 丙午、六月은 丁未、七月은 戊申、八月은 己酉、九月은 庚戌、卽 庚戌이라는 干支가 表出되는 것이다.

또 한가지 注意를 要하는 點은 陰一月 一日 以後生이라도 立春前에 出生하였으면 前年의 干支를 使用하여야만 하며 또 陰 十二月生이라도 立春節日, 後에 出生하였으면 後年의 干支를 使用하는 것이다. 이 點은 他의 運命學과 같은 것이다.

또 生年의 干支를 使用하는 者는 前記와 같이 男子는 二十四歲前과 女子는 二十一歲前인 者는 生月의 干支를 使用하며 그 年令을 超過한 者는 生年의 干支를 使用하는 것이다.

(註) 무엇 때문에 年令관계를 男女로 分別하여서 그 年의 干支를 使用하는가 하는 것은 東

洋運命學 東洋醫學의 原理에서 비롯된 科學的인 年令이기 때문이다. 方位學에서 말하는 「小兒殺」, 其他 아이들이라고 할 때 몇살까지를 뜻하는가 하는 것을 確實하게 數字로 表示한 冊은 한 卷도 없다. 그럼으로 敢히 著者가 秘傳을 公開하는 것이다. 故로 本秘法에서만 限定된 것이 아니므로 아이들 未成年이라고 할 때는 이 年令을 使用하면 絶對로 틀림없다.

東洋醫學(漢方醫學)에서는 人間의 肉體와 精神面의 兩面을 嚴密히 男女를 區別하고 있는 것이다. 그리하여 男女는 八才가 基本이 되며 女子는 七才가 基本이 된다고 說明하고 있는 것이다. 卽 男子는 八才에 이르러 幼年期를 벗어나며 八의 倍 數, 卽 十六歲에 한 사람의 男性으로서의 肉體的 精神的 兩面을 갖출 수가 있게 된다고 한다.

現代醫學에서는 十五, 六歲에 恥毛의 發生과 性分泌의 活動이 始作된다고 한다. 그럼으로 八의 倍로서 成長하고 八의 自乘곱인 六十四歲에 男性으로서의 性器能의 終末을 告하게 되는 것이다.

그 點에 對하여 女子는 七歲를 基本으로 하여 七의 倍인 十四歲에 初經을 보고 女子로서의 機能이 完成되며 다음에 七의 倍로 成長하여 七의 自乘곱인 四十九歲에 이르러 閉經期가 되고 女性의 生理活動의 終末을 告하게 된다고 한다(勿論 時代時代에 다르고 各個人에 따라 肉體的인 生長過程의 差는 있다).

以上과 같은 올바른 考察에서 男性은 八歲의 三倍인 二十四歲前은 生月로 使用하고 女性

은 七歲의 三倍인 二十一歲前은 生月로 使用하게 되는 까닭이다.

(3) 十干 十二支의 陰陽과 强弱

다음은 第二條의 「十干 十二支의 陰陽强弱에 依하여 事의 判斷을 한다」는 頃이나 이 干支의 陰陽 强弱은 前章에 記述한 바가 있으니 省略한다.

그러나 鑑定時에 보기 쉽게 表出된 日時의 干支에 陰陽과 强弱을 表示해 두면 大端히 便利하다.

※ 干支의 陰陽 强弱의 表示方法

前記한 十干이나 十二支等의 陰陽과 强弱을 調査하여 日과 時의 表出된 干支의 옆에 表示를 한다. 區別하기 쉽게 陽에는 「○白空標」를 陰에는 「●黑空標」를 또 强에는 「十푸라스 卯」을, 弱에는 「一마이나스印」을 붙인다.

이 十干 十二支의 陰陽 强弱은 鑑定의 應用에서는 다음과 같은 意味를 表示하게 된다.

陽=天, 日, 盡, 剛健, 男性, 君, 夫, 大, 多, 上, 進, 動, 盈, 表, 直, 貴, 富, 正, 善, 生, 淸, 開, 昇, 氣, 速 等

陰=地, 月, 夜, 柔順, 女性, 臣, 婦, 心, 少, 下, 退, 靜, 虛, 裏, 偏, 賤, 貧, 邪,

惡、死、濁、閉、隆、形、運 等

※ 十干 十二支의 相生相剋으로 殘余한 干支

「十干 十二支의 五行의 相生相剋의 關係에 있어서 殘余한 干支」項이다. 十干十二支의 相生相剋은 前章에 記述하였음으로 判明되었음으로 省略한다.

※ 十干 十二支의 相生相剋의 表示法

이것도 陰陽 強弱과 같이 보기쉽게 하기 爲하여 다음과 같이 記入하면 大端히 便利하다. 相生에는 「○表」를 붙이고 相生이나 相剋되는 쪽으로 「→화살표」를 붙인다. 例를들면 甲子日의 丙午時의 相生相剋이라고 假定한다면

木　　火
甲○──→丙（木生火）
水　　火
子×──→午（水剋火）

※ 殘餘干支의 表出方法

□「相生關係」에 있어서는 相生된 쪽의 干支가 殘餘干支가 된다.
□「相剋關係」에 있어서는 相剋한 쪽의 干支가 殘餘干支가 된다.

殘餘된 干이나 支는 相生相剋에 關係없이 그 下部에 別途로 記入해 둔다。例를들면 前記의 「甲子」日의 「丙干」時에 있어서 殘餘된 干支는

木 火
甲○──→丙(木生火)   丙(殘餘干)
水 火
子×──→午(水剋火)   子(殘餘支) 火이다。

以上과 같이 或 「丁酉」日의 「壬子」時의 境遇 殘餘되는 干支는

火 水
丁──×→壬(水剋火)   壬(殘餘干) 水이다。
金 水
酉○──→子(金生水)   子(殘餘支) 水이다。

※ 같은 干이나 支일 境遇에는 그 干이나 支의 裏가 殘餘한다。
例를들면 「甲子」日의 「甲子」時의 境遇 殘餘하는 干과 支는

甲──)己
 │
甲   己(甲의 裏는 己) 殘餘干 土이다。

子──)午
 │
子   午(子의 裏는 午) 殘餘支 火이다。

같은 天干일 때는 天干合을 사용하고 地支가 같을 때는 地支의 冲되는 支가 되는 것이다。

※ 比和에 있어서는 「陽에서 陰을 相生한다」의 原則에 따라 陰이 殘餘된다.

를 사용한다.

例를 들면 甲子日의 乙亥時의 殘餘干支

木陽　木陰
甲 ─→ 乙　乙(木의 陰에 殘餘) 木이다.

水陽　水陰
子 ─→ 亥　亥(水의 陽이 殘餘) 水이다.

같은 方法으로 「己巳」日의 「戊午」時라면

陰土　陽土
己 ↑→ ○ 戊　己(陰土가 殘餘됨) 土이다.

陰火　陽火
巳 ↑→ ○ 午　巳(陰火가 殘餘됨) 火이다.

※ 裏表의 關係에 있어서 相剋한 干支가 殘餘된다.
「甲子」日의 「己巳」時의 境遇라면

木(裏表) 土
甲 ×─→ 己　甲(殘餘干) 木이다.

水　　　火
子 ×─→ 巳　子(殘餘支) 水이다.

비슷한 例로서 「丁卯」日의 「癸酉」時에 있어서 殘餘되는 干支는

丁 ――→ ×癸(水剋火) 癸 殘餘干 水이다.
木(表裏)金
卯 ←―― ×酉(金剋木) 酉 殘餘支 金이다.

이 相生 相剋의 關係에 있어서 어느 쪽으로 相生하였는가 하는 點이 鑑定에 있어서 가장 重要한 것이다. 때문에 반드시 天印(←또는→)을 標示하여 둘 것을 잊지 말아야 한다.

이것은 時間에서 日을 相生하였는가, 或은 相剋하였는가 또는 反對로 日에서 時間을 相生 또는 相剋하였는가에 따라서 그 結果 吉凶에 있어 大端한 차이가 생기기 때문이다. 이제는 判斷하는 데에 基本 以上으로서 鑑定을 爲한 모든 必要한 準備는 完了된 것이다.

이 되는 「事의 吉凶 成否, 狀態」에 對한 原則만 남은 것이다.

(4) 鑑定의 기준(吉凶 成否)

이 干支秘法은 여러차례에 걸쳐 말한바와 같이 十干 十二支의 關係에 依해서 그 吉凶 成否를 鑑定하는 秘術이다.

卽 各己의 十干十二支가 갖고 있는 「五行 陰陽 强弱 그의 象意」를 보고 그것들의 日과

時間에 나타난 干支의 相互關係에 依해서 相生相剋을 參酌함으로서 鑑定하는 것이다.

다음에 그것의 鑑定에 있어서의 吉凶의 根本을 記述한다.

※ 判斷에 있어서 吉凶 成否는 鑑定日의 十干 十二支의 相互關係(相生 相剋)에 依해서 鑑定한다.

○ 判斷에 있어서의 事物의 事象은 鑑定日의 干支와 時間의 干支와의 相互關係(相生 相剋)에 依해서 殘餘한 干支에 依해서 判斷한다.

○ 判斷의 있어서 吉凶 成否의 最終的인 結論은 鑑定依賴人의 生年(或은 生月)의 干支와 鑑定日時의 干支의 相互關係로 殘餘된 干支와의 對照(이것도 亦是 相生 相剋을 뜻한다)하여 鑑定하는 것이다.

※ 干支秘法 鑑定順序

| 斯定日의 干支 |
| ↑↓ |
| 相互關係 | ← 第一의 判斷 吉凶및 成否
| ↑↓ |
| 鑑定時의 干支 |
| ↑↓ |
| 殘餘干支 | ← 第一의 補助 事의 事象
| ↑↓ |
| 相互關係 | ← 最終的結論 事의 吉凶成否
| ↑↓ |
| 鑑定依賴人의 生年干支 |

以上의 三原則이 이「干支秘法」의 鑑定法인 것이다.

(5) 감정법의 기준세측

前記 三原則을 細細하게 應用한「吉凶成否의 基準」은 다음과 같다.

一、 原則으로서 相互間에 相生되는 關係를 吉로 하며 모든 일은 成功한다.

一、 原則으로서 相互間에 相剋되는 關係를 凶으로 하며 모든 일은 成功하지 못한다.

相生과 相剋의 關係에 있어서도 上에서 下에게로(卽 日에서 時에게로의 關係)와 下에서 上으로의 關係(卽 時에서 日로의 關係)와 上下가 表裏의 關係의 四種으로 分類되는 것이다. 이 四種類는 各己 大端히 意味가 달라진다.

一、 下에게로 相生되는 境遇는 大端한 吉로서 每事를 大吉로 한다.

이것은 日의 干支로부터 時의 干支를 相生하는 境遇이다. 이 境遇에는 時間的으로는 大端히 速한 것이며 距離的으로는 大端히 가까우며 强弱 成裏面에서는 大端히 强하고 旺盛한 것으로 한다. 다음 圖를 보라.

日　　時
甲○→丙　木生火
午○→戊(火生土)

一、上으로 相生하는 境遇는 每事를 中吉로 한다.

이것은 時間의 干支가 日의 干支를 相生하는 境遇를 말하는 것이다.

日　　　時
甲○──→○乙（木의 陽陰）
午○──→巳（火의 陽陰）

이 關係는 時間的으로 遲延되며 힘이 들고 길어지며 距離的으로는 멀고 强弱 盛衰에 있어서는 弱하고 裏한 것으로 본다.

但, 干支本來가 强弱을 參考한다. 또 上으로 相生하는 境遇는 每事가 半凶半吉하다.

日　　　時
甲←──○癸（水生木）　甲
午←──○卯（木生火）　午

日　　　時
丁←──○丙（火의 陽陰）　丁
卯←──○寅（木의 陽陰）　卯

一、下로 相剋하는 關係의 境遇에는 每事를 大凶으로 한다.

이것은 日의 干支가 時間의 干支를 剋하는 境遇를 말한다.

이 關係는 凶意가 速하고 크고 强한 것으로 한다.

一、 上으로 相剋하는 關係의 境遇는 每事를 凶으로 한다.

```
 日   時
 癸 ×→← 丙(水剋火)
 卯 ×→← 戌(木剋土)
        癸
        卯
```

이것은 時間의 干支가 日의 干支를 剋하는 境遇이다.

이 關係는 凶意가 上剋하는 境遇같이 速하며 大端히 强烈한 것으로 하지 않는다.

一、 上下가 같은 干支의 境遇는 每事 그것에 나타난 干支의 事象및 象意와 各人의 生年(或은 生月)의 干支와의 關係에 依한다. 이것은 日과 時間의 干支가 같은 境遇인 것이다.

```
 日   時
 庚 ←→ × 丁(火剋金)
 寅 ←→ × 酉(金剋木)
         丁
         酉
```

이 關係는 相生程度의 吉은 아니나 相剋되는 境遇程度의 凶도 아닌 것이다. 即 當事者의 마음먹기 如何 또는 運氣(流年) 如何에 따른다고 할 수 있다.

一、 上下의 關係가 表裏인 境遇에는 初凶後吉 即 처음에는 破해지나 後에 마무리진다.

```
 日   時
    乙( )庚
    酉(同支로 裏가 殘余)
 乙(同年으로 裏가 殘余)
 卯           庚
              卯
```

이 關係는 時間的으로는 늦고, 원만하며 이 表裏의 關係인 境遇는 一見不可 할 것 같이 보이나, 後에 良好해지는 關係로 一種의 (臨路 미래)이라고 할 수 있다. 盛衰强弱에서는 「初衰後盛」「初弱後强」인 뜻이다. 또 表裏關係는 「再次 反復」이라는 뜻도 있다.

이 表裏關係에 있어서도 赤色 上에서 下로 或은 下에서 上으로의 關係가 있고 그 吉凶 成否 强弱 盛衰는 前記의 上에서 下로 或은 下에서 上으로의 境遇의 判斷과 같은 要領이다.

日　時
甲×─→己
子×─→巳　　上에서 下로의 境遇

日　時
乙←×庚
子←×午　　下에서 上으로의 關係

日　時
甲←×庚
酉←○申　　上에서 下로의 境遇　　子　甲

日　時
己←×乙
巳←×亥　　下에서 上으로의 境遇

□ 干이나 地支나를 莫論하고 陰陽의 相生은 大吉

陰과 陰, 陽과 陽의 相生境遇　　中吉
陰과 陰, 陽과 陽의 相剋境遇　　大凶
陰과 陽, 陽과 陰의 相生境遇
陰과 陽, 陽과 陰의 相剋境遇　　中凶

□ 日과 時間의 關係에 있어서 殘餘된 干과 鑑定을 依賴하는 者의 生年干과의 相生함을 最大吉로 한다. 結論의 判斷으로 한다(勿論 이 境遇에는 日과 時間이 相生되어 殘餘된 干과 生年干이 또 相生되는 境遇를 말한다).

例를 들면 甲子日의 丙寅時에 己巳年生人이 鑑定을 依賴할 境遇에는 大吉.

　　日　　　時

　　甲○→丙(木生火)　己○→己(火生土)
　　子○→寅(水生木)　寅○→巳(木生火)　巳

□ 一般的인 雜占의 境遇는 十干의 相生相剋의 관계를 주로하여 吉凶 成否를 알고 補充的으로 十二支의 相生 相剋關係를 보고 다음으로 事象을 十二支로서 삼는다.

□ 長期間을 要하는 大事 疾病、出産、婚姻、男女間의 愛情問題, 色情問題, 身體上의 安否 本人自身의 直接的으로 身體上에 關係가 있는 事項等을 干과 支의 兩方의 相生相剋의 關係를 삼는다.

□ 干을 一般運勢、方位、住所、數量、其他의 事象(有形的인 面)을 表示하는 것이기도 하며 人間의 肉體、外形、容貌、氣質、事物의 事象(無形的인 面)을 表示하는 것으로 한다.

□ 原則的으로 破損의 對人關係는 日干支를 上司、官廳、男性、父親、相對 等으로 하여 鑑定한다.

□ 時間의 干支를 手下、家庭、女性、母親、當事者 等으로 하여 鑑定한다.

□ 日과 時間의 干支中에 鑑定依賴人의 生年干支가 있으면 前記 상대자의 關係로 取扱치 않고 自身의 干支를 當方으로 보고 自身으로 하며 家庭으로 본다. 이 境遇에 그 干支가 日干支에 있건 時干支에 있건 間에 前記의 關係로 彼我를 보지 않고 어디까지나 生年의 干支를 自己로 하고 그 外의 干支를 相對方으로 취급하여 보는 것이다.

例를들면 甲午年生의 鑑定에 있어서

    日   時

甲↑─×庚(金剋木)

子○─↓寅(水生木)

    庚

    寅

이 境遇에 日干에 甲年生人과 같은 干이 있는故로 日의 干支를 自身으로 하고 時干支를 相對로 보는 것이다. 그 例로서 判斷한다면 自身이 相對로부터 相剋當하고 있는 것이 된다. 또 自身의 生年(或은 生月)의 干支의 裏에 該當되는 干支가 日干支나 時干支에나 아무쪽이든 나타나 있으면 亦是 前記와 같이 彼我의 關係에 따르지 않고 裏의 干支를 當하인 自身으로 보고 家庭으로 보는 것이다.

例를들면 庚子年生人의 鑑定의 境遇

　　日　　時
　　乙←―×辛　　辛(金剋木) 辛
　　巳←―×亥　　亥(水剋火) 亥

의 境遇에 日干이 自身의 年干인 庚의 裏인 (干合)乙임으로 그 乙卽, 月干을 自身으로 하고 時를 相對로 보는 것이다. 이 境遇는 相對로부터 剋을 받고 있는 것이다. 以上으로 「干支特術秘法」에 應用하는 吉凶 成否의 判斷을 위한 모든 細則의 基準을 記述하였다.

이것들의 法則을 鑑定에 依하여 從橫으로 應用함으로서 事物의 大小를 不問하고 모든 人事百般之事가 「卽席에서 明確하고 더우기 적중률이 확실하게 判斷할 수 있게 되는 것이다. 여러가지를 記述하였으나 要컨데 다음에 말하는 것을 自明하게 記述한 것에 不過한 것이다 卽「日과 時間의 干支가 相生인가 相剋인가 그것도 上에서 下로인가 下에서 上으로인가 餘된 干支와 相生인가 相剋인가」하는 簡單한 것으로 要約되는 것이다.

第六章 干支秘法의 應用法 (其一)

(1) 日과 時間의 干支關係

本章에서는 日과 時間의 干支의 相互關係를 例를 들어서 說明하고저 한다.

于先的으로 日時의 干支關係를 觀察하는데 相生 相剋 比和로 나눈다. 이것은 다시 分類하면 相生中에서도 같은 五行으로서 陰과 陽이 다른 干支의 相生이 있고 相剋中에서도 陰과 陽이 다른 相剋이 있다.

또 같은 比和라 할지라도 辰과 戌 丑과 未와 같은 特殊한 比和도 있는 것이다(辰과 戌、丑과 未는 五行上 같은 土性이며 陰陽도 또한 같다).

다음에 相生關係라도 上에서 下로 上에서 下로의 相生이 있고 下에서 上으로의 相生이 있으며 相剋의 關係일지라도 上에서 下로도 相剋이 있으며 下에서 上으로의 相剋이 있는 等 四種類로 分類된다.

相生 相剋 比和의 三關係를 種類別로 區分한다면 다음과 같이 된다.

前記의 關係는 日과 時間의 縱的인 關係이며 다음에는 橫的인 關係이다. 十干과 十二支의 關係를 分類하면 다음의 四種類가 된다(比和는 相生中에 包含한다).

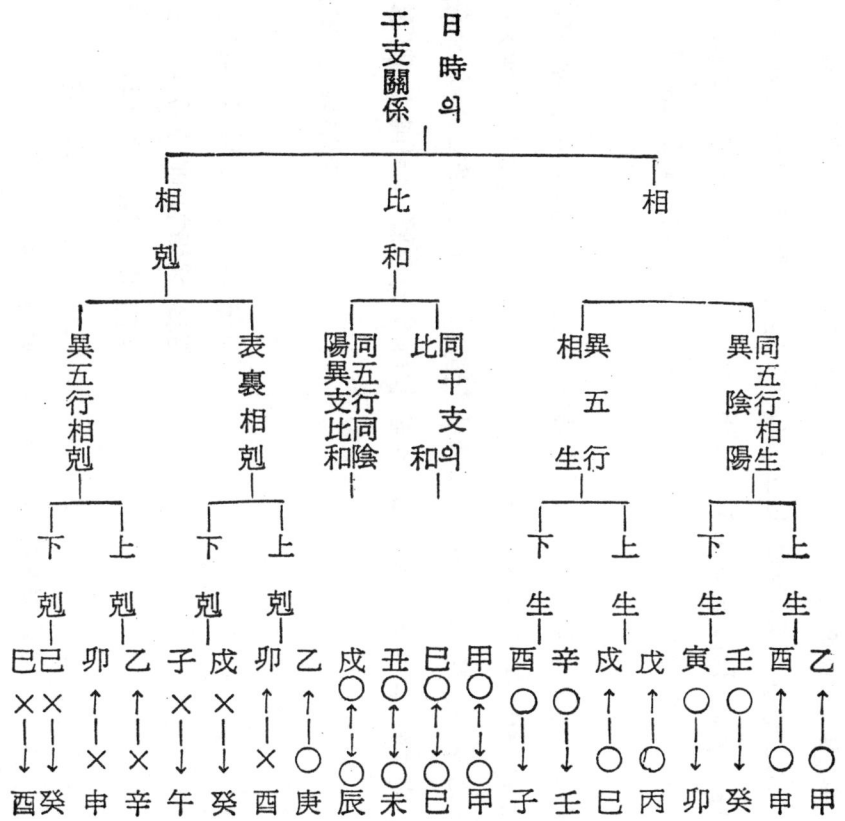

十二支의 관계를 분류하면 四種類가 된다 (比和는 相生이다)

「干과 支가 相生한 境遇」
「干과 支가 다같이 相剋하는 境遇」
「干은 相生하나 支는 相剋인 境遇」
「干은 相剋이나 支는 相生인 境遇」

(2) 運勢의 鑑定法

이 「運勢」라는 말같이 漠然한 言語도 別로 많지않을 것이다. 흔히들 「나는 運勢가 나뻐」 或은 「運勢를 보아달라야지」 등 普通的으로 이 말을 많이 使用하고 있으나 自己의 運勢란 都大體 무엇을 가르키는가. 當事者도 또 듣는 사람도 그리 確實한 定義는 내리지 못하면서 도 그저 首肯을 하고 있는 것이다. 都大體 運이란 어느 것까지를 뜻하는가. 理解에 궁금한 일이 많다.

極端的으로 말한다면 「失物」도 運勢가 나쁘면 잊어버리는 것이니까 一旦은 이러한 자그마한 일도 運勢라 할 수 있을런지 모르겠다. 그러나 普通的으로는 自身의 吉凶禍福 財의 有無 壽命의 長短 六親關係의 吉凶等을 총稱하고 있는 것에 不過하다.

그러나 이것은 鑑定上 大端히 注意하지 않으면 안 될 일로서 疾病에 시달리고 있는 사람에게도 金錢이 많이 생기는 일도 있으며 金錢面에는 因像이 薄하나 六親關係에서는 大端히 良好하여 厚德한 者도 있다. 故로 鑑定을 하는 境遇에는 이 干支秘法卽 判斷하는 事項에 特히 注意를 게을리해서는 안된다.

一旦 東洋運命哲學에서는 運勢를 다음과 같이 分類해 보는 것이 妥當할 것이다.

一、 身命의 安否——事業, 商業의 盛衰, 損得, 金錢의 貸備, 金錢運의 有無等에 關한 일.

二、 功名의 氣運——事業上 或은 職業上의 功名, 學問이나 技藝活動上의 人氣, 名聲 其他 職業上 또는 對社會的인 面에서의 盛衰에 關한 일.

三、 自己身體의 吉凶——健康, 疾病, 壽命等에 關한 일.

四、 六親關係의 吉凶——家庭內의 問題, 父母, 兄弟, 姉妹, 妻子, 交友等의 對人關係에 關한 것이다.

以上의 四種類에 分類하여 鑑定하는 것이 便利하며 또 判斷하기도 大端히 容易하게 된다 곧잘 每年의 年初가 되면 「今年運勢는 어떨런지」 「土亭秘訣이나 한번 볼까」 等等, 말하는 사람이 많으나 實除로 그 말하는 自身이 金錢運을 말하는지 身體의 安否의 吉凶을 뜻하는 것인지 或은 職業上의 問題의 發展, 功名, 實利 等을 말하고 있는 것인지 잘 알지 못하는 것이다. 그럼으로 事項을 判斷함에 있어서는 이렇한 點을 極히 목표의 소원성패를 추려 더우기 本章에서는 疾病、移轉、求財、盛衰業等 아주 세밀하게 分類하며 記述하려 하는 고로, 이 運勢라는 것은 大端히 큰 意味로 그 사람의 運의 盛衰를 뜻하는 것이라 生覺해주기를 바란다.

「運勢의 鑑定法」에서는 日과 時間과의 關係뿐 않이고 十二支쪽도 어느 程度 參酌하지 않으면 안되는 것이다.

그것은 十干을 運勢로 삼고 支를 身體로 하며 長時日에 關한 占事라면 十二支 쪽의 關係도 살핀다는 原則에 依하기 때문인 것이다.

또 運勢中에는 自身의 身體의 吉凶如何에 따라서 相當한 影響을 運氣面에 미치게 되기 때문인 것이다.

□ 十干十二支가 다 같이 相生하는 것을 吉로 하며 自己의 干이나 支가 相生 받으면 모든 일이 順調로우며 運氣가 좋고 幼動的인 기쁨이 있는 것으로 한다. 時間이 日로부터 相生 받는 것도 또한 같다.

自己의 干支란 前述한 바와 같이 日과 時間의 干支中에 自己 生年의 或은 生月의 干이나 支가 或은 自己生年의 干支의 裏인 干支가 나타나 있는 境遇에 그 干이나 支를 自己로 하고 當方으로 한다는 것이다. 自己에 關係되는 干이나 支가 나타나 있지않을 때에는 彼我의

關係에서는 時間의 干支를 自身으로 삼고 日의 干支를 相對로 삼는다.

(註) 以下 全部「我」라 함은 自己의 生年의 干이나 支이거나, 或은 裏의 干 또는 時間의 干支를 뜻한다. 이것은 對人關係의 判斷에서 아닐지라도 반드시 我가 生을 받었는가 生하였는가 또 我가 剋을 받었는가 剋을하였는가에 따라서 모든 吉凶이 달라지기 때문에 重要視하지 않을 수 없는 것이다.

□ 干은 相生이나 支는 相剋인 境遇

十二支를 身體로 삼는 故로 身體를 剋받은 結果임으로 身勞後에 效果가 있다든가 苦生(肉體的 勞動的)이 많고 身體의 動이 甚하다고 할 수 있다. 또 健康上으로는 大端히 貿意하지 않으면 안된다.

□ 干은 相剋이나 支는 相生인 境遇

이것은 干은 運勢로 하고 支는 身體로 하는 까닭에 設使 支가 相生되었다 하더라도 凶이다. 身體는 平安하나, 일은 잘 되지않는 狀態 또는 身體를 平安히 하고 있기 때문에 運이 停滯狀態라고 할 수 있다. 卽 活動的인 面에서 努力이 不足하기 때문에 運에 차질이 생긴 狀態라고 할 수 있는 것이다.

□ 干支가 다같이 相剋인 境遇

이것은 全的인 凶이다. 但 自己의 生年干支(또는 生月干支)와 殘餘된 干支가 相生인 境

遇에는 努力하면 結局에 가서는 잘 될 수 있다고 할 수 있다. 그러나 日과 時間의 干支가 다같이 相剋임으로 相當한 困難이 뒤따른다.

□ 干이 陰陽의 相生 또는 表裏의 相剋인 境遇

이 境遇는 過히 良好하다고 할 수 없다. 後에 가서는 漸次 좋아진다고 하는 것이 원칙일 것이다.

□ 相生이라 할지라도 殘餘된 干支(特히 干)의 如何에 따라서 일의 吉凶이 大端한 差異가 生긴다. 第三章에 記述한 干支의 象意를 使用하는 것이다.

例를들면 「己」 「戊」가 남은 境遇에는 흔들린다, 허둥댄다, 당황한다 等의 일이 많은 것으로 하며 「庚」 「乙」과 같다. 「癸」는 新規로 다시 한다는 氣運 「辛」은 相生이라도, 相當한 苦生과 困難이 있다고 본다.

□ 運勢의 境遇라 할지라도 十二支쪽의 象意를 充分히 活用할 것이다. 「卯」 「酉」가 나왔을 때는 怠慢, 色情의 氣運이 있으며 「辰」의 境遇에는 爭事 怒氣等의 氣運이 있다고 본다.

□ 相剋이 되여 凶인 境遇에 언제부터 好轉될 것인가는 殘餘된 干의 數意를 取擇할 것 相剋인 境遇에 단지 凶이다 라고 만해서는 救할 길이 없다. 언제 좋아질 것인가가 問題이다. 그 境遇에 殘餘된 干의 數意를 取擇하여 그 日數에 가까운 月日로 鑑定을 依賴한 者

의 生年干과 相生되는 干의 月日부터 好轉된다고 판단한다. 例를들면 庚이 殘餘된 境遇에 庚은 七의 數意가 있다. 故로 七十日이나 二個月째 또는 二年째라고 할 수 있다. 그리고 그 頃의 「庚이나 乙」의 年月日부터 好轉된다고 한다.

(3) 希望事의 鑑定法

自身의 뜻하고 있고 소망을 하고 있는 希望事가 이루워질 것인가 않인가 하는 것을 鑑定하는 것이 이 希望占이다.

이 境遇에는 特히 注意하지 않으면 안될 것이 希望의 成否한 自身의 希望이며 바라고 있는 점이기 때문에 사람에 따라서는 正反對로 生覺할 수도 있는 것 같은 希望과 目的도 있다고 하는 事實이다.

例를들면 男女間의 問題가 바로 그런 것이다. 希望事라도 入試라든가 身體安否等은 萬人이 全部 試驗에 合格할 것을 또 身體가 安全할 것을 希望이나 目的으로 삼고 成就될 것을 바라는 것이나 그러나 男女關係는 좀 다르다. A라는 남자는 B女와 平生을 永遠히 같이 살기를 바라나 B女의 立場에서 본다면 A男과 되도록 速히 因緣을 끊고 싶다는 希望을 갖고 있는 境遇가 많다.

이런 境遇에 A男便에서 본다면 自身의 希望의 成就은 B女와 因緣이 끊기지 않기를 바라는 것이며, B女便에서 본다면 自身의 希望의 成就은 하루라도 速히 A男으로부터 떨어지는 것이 되는 것이다.

이와같이 希望目的이라도 入試나 疾病等과 같이 目的이 普通的인 境遇에는 萬人이 共通이나 때에 따라서는 사람에 따라 그 希望事의 成就의 결과가 正反對로 될 것을 바라는 境遇가 있음으로 易者는 이 點 特히 貿意해 두지 않으면 안될 것이다.

希望占에서는 長時日을 要하는 일이나, 大端히 큰 일 以外는 干을 主로하여 鑑定해도 좋다.

□ 干支가 다같이 相生됨을 吉로하며 希望이나 目的이 成就되는 것으로 본다. 我가 相生되거나 또는 時干이 日干으로부터 相生받을 때는 그 希望이나 目的이 스무스하게 早速히 이루어진다.

□ 相生이라 할지라도 表出된 干에 따라서 그 吉凶이 多少 다른故로 干의 象意를 重히 여겨야 한다. 例를들면 日과 時間에서 「乙○→庚」의 境遇 上에서 下에 相生이라도 「己」도 무너지기 쉽다라는 뜻이 있으며 「庚」은 당황 유혹 흔들린다는 뜻이 있음으로 途中에서 당황하거나 흔들리거나 하는 일에 相當한 注意를 기우거리지 않으면 안된다.

□ 干支가 共히 相剋된 境遇

이것은 每事가 凶인 것이다. 때를 기다리는 道理以外는 方法이 없다. 그 時期는 殘餘된 干의 數意에 依한다.

□ 干은 相生되고 支는 相剋인 境遇

希望이나 目的은 一但은 達成되나 自身이 바라던 것과 같이는 되지 않는다. 아마 七, 八 割可量 이루었다고 生覺하면 될 것이다. 그것은 十二支쪽이 相剋되었기 때문이다. 또 그 希望이나 目的의 達成을 爲하여 大端한 努力과 勤勉이 要하였을 것이다. 特히 肉體的인 努力이 더 要求된 現象이다. 그것은 即 干을 상생되어 달성 成就을 意味하나 支가 相剋된 故로 身體的努力이 大端히 要求되었다고 할 수 있는 것이다.

□ 干이 相剋이고 支는 相生인 境遇

이것은 凶이다. 所謂 애 써서 죽을 쑤어서 개 좋은일 시켰다는 格이 된 것이다. 努力은 最大限으로 하였으나 功은 없게 되었다는 格이다. 支(身體)만이 相生임으로 努力은 하였으나 干(運勢)가 相剋임으로 그 殘餘된 干의 意義나 象意에 依한 말힘이 있어 不成으로 끝나는 것이다.

□ 表裏 或은 陰陽의 關係인 境遇

많은 手苦와 時間 或은 자질구레한 일들 때문에 陰路는 많으나 成就된다. 이 境遇에 支가 相生인가 相剋인가 또는 其者의 生年干支와 殘餘된 干支가 相生인가 相剋인가에 따라서

解釋과 結果的인 吉凶에 大端히 많은 影響이 作用된다.

(4) 이성관계의 감정법

「戀愛 結婚 愛情 夫婦緣」및 其他 其種類에 附隨되는 問題 等은 全部 干과 支를 다같이 參酌해서 鑑定하지 않으면 안된다.

異性關係의 諸般問題는 運勢(干)뿐이 안이고 身體(支性의 結合이나 性格의 合 不合)의 關係도 있기 때문에 반드시 干과 支가 다같이 吉의 關係를 維持하지 않으면 안되기 때문이다.

□ 干과 支가 다같이 相生인 境遇
모든 點이 다 吉이며 男女雙方이 因像이 있으며 推進시키면 이루어져 結婚될 것이며 相互間 궁합도 良好한 것으로 한다. 旦 干과 支의 象意에도 相當한 注意를 하여야 한다.

□ 干과 支가 다같이 相剋인 境遇
이것은 모든 것이 다 凶이다. 成否의 結果로는 이루어지지 않으며 인연의 有無라는 點에서는 因緣이 없으며 相互間 궁합도 좋지 않다. 或 이 點을 無視하고 進步시킬 境遇에는 殘餘된 干支의 數意의 年月日에 問題點이 生길 것이며 어떻한 問題인가에 對해서는 表出된 干支의 象意에 依한다.

□ 干이 相生이며 支가 相剋인 境遇

普通的인 占에서는 干이 相生이며 身體(支)에 苦勞가 있겠으나 結果는 吉이라고 鑑定하나 男女間의 占에서는 干도 支도 다같이 參酌鑑定하기 때문에 亦是 凶인 것이다. 단지 干이 相生인 故로 事의 成否로 말하면 因緣도 있고 成就 達成된다고 본다. 단지 後에 가서 性格的인 差異나 性的인 面에서나 不均衡(支의 相剋은 即 신체적인 面의 不合之意)으로 「別離」되는 일이 생긴다. 그러나 本秘法에서는 干을 主軸으로 鑑定하는 故로 當事者들이 다같이 努力과 注意를 疎忽히 하지 않는다면 고비를 넘길 수 있다. 그러나 反對로 干에 剋이고 支가 相生인 境遇는 한번 좋와저 이루어졌다해도 반드시 破期가 닥친다.

□ 干이 相剋이고 支는 相生인 境遇

凶으로 하며 締結되지 않는 것으로 하며 좋은 因緣이 아니라고 본다. 單 支가 相生인 故로 다시 말해서 支는 身體로 보기 때문에 身體(肉體)의 因緣이 있기 때문에 締結시키려 努力한다면 簡單하게 이루어진다. 그리고 緣도 깊은 것으로 한다. 萬一 젊은이들이라면 支가 肉體인 故로 相生인 까닭에 이미 緣을 넘은 사이라고도 할 수 있다. 또 肉體(支)가 相生인 때문에 一旦은 이루어지나(或은 因緣이 있다) 後에 가서는 무너진다.

이 境遇에 正式의인 結婚問題가 않이고 因緣의 關係, 色情의 關係, 일시적이고 交際的 남女間의 肉體的 適合, 均衡如否의 判斷의 境遇라면 長時日 因緣이 있다고 본다.

□ 陰陽 或은 表裏의 關係인 境遇

이것은 因緣이 相當히 깊은 것으로 한다. 吉凶如否는 되풀이 흔들림 長期等의 隘路의 길을 더듬는 일이 많다.

□ 十干의 關係에서 上으로의 相生인 境遇

即 時間이 日을 相生하는 境遇이다. 干의 象意에도 설명하였으나 무너지거나 時間이 흐른 뒤에 破해서는 일이 많다. 早速히 일은 推進시킨다면 吉이다.

□ 男女關係에 있어서 이별할 것인가 않인가 또 合하여질 것인가, 안 될 것인가 하는 問題는 相生인 境遇는 當事者의 希望대로 될 것이며 相剋인 境遇는 希望대로 되지 않는다.

例를 들면 헤여지고 싶다는 사람의 鑑定에서 相生인 境遇는 當者의 希望대로 헤여질 수 있다고 判斷할 것이며 또 合해지고 싶다는 사람의 境遇의 鑑定이라면 그 當者의 希望대로 合해질 수 있다고 判斷하게 되는 것이다. 反對로 헤여지고 싶은데 또는 合해지고 싶은데 하는 境遇에 相剋이 된다면 當事者의 希望대로 되지 않는 것임으로 헤여질 수 없으며 合해지고 싶다는 사람은 合해질 수가 없다는 判斷이 되는 것이다.

□ 男女間의 問題인 때는 十二支의 象意를 重視하여 充分히 活用할 것 例를 들면 「酉」 「卯」는 美人으로 한다. 또 男女 共히 바람끼가 있으며 「庚」 「乙」은 色情 誘惑 바람끼 等의 뜻이 있다.

婚談成否의 境遇에는 干과 支가 共히 相生이다 하더라도 「己」「戊」가 表出된 境遇에는 무너질 可能性이 많고 또 當者들도 마음이 途中에서 變하는 수가 많다. 또 「庚」「乙」의 境遇는 決斷을 내리지 못하거나 마음이 變하는 수가 많다.

맞선 仲介人等에 關한 鑑定을 할 境遇는 干支가 다같이 相生이라도 「或」「申」이 表出된 境遇라면 虛言 仲介人의 言辭에 注意를 할 것.

男女關係에서 反對人이 있는 境遇는 干을 男性 支를 女性으로 본다.

例를들면 支가 相剋되면 女性便에 反對가 있거나 女性當者가 마음이 내키지 않는 것으로 보며 干이 相剋인 境遇라면 男性便에 反對人이 있거나 男性 自身이 마음이 過히 끌리지 않는 狀態인 것이다.

(5) 待人의 鑑定法

「希望」「所望」의 占과 大體的으로 같은 要領이다. 이것은 特別한 일 以外에는 支는 無視해도 좋다.

□ 干이 相生인 경우

이것은 待人이 오는 運機이다. 單上에서 下로 卽 日에서 時間을 相生하는 境遇는 곧 온다. 下에서 上으로 卽 時間이 日을 相生하는 境遇는 늦게 온다.

이 待人占과 疾病占의 境遇는 彼我의 關係는 따지지 않고 上에서 下로 (即日에서) 時間을 相生하는 것을 第一의 吉로 取扱한다。

□ 干이 相剋인 關係의 境遇

이것은 오지 않는다。 언제 오는가 하는 것은 殘餘된 干의 數意에 依한다。

□ 陰陽 或은 表裏의 境遇

오기는 하나 늦게 온다거나 途中에서 되돌아가 버려 連絡이 있거나 오는 도중에 딴 일을 보고 늦게 오거나 한다。

□ 「戊」「己」가 表出된 境遇에는 途中에서 마음이 變해버리는 뜻이 있다。 또 「庚」「乙」이 表出된 境遇는 相生이라면 딴곳을 들였다 오거나 놀다가 늦게 온다。

(6) 逃走人의 鑑定法

逃走人이나 尋人 即 찾는 사람의 如否를 占치는 境遇에 있어서 相當히 注意를 하지 않으면 안되는 것은 그 찾는 사람이나 逃亡人의 身體安否 即 生死安否를 알고 싶은가、 돌아올 것인가 아닌가를 알고 싶은가 또는 찾는 目的이 되는 居所나 方面을 알고 싶은가 等인 點이다。

여러번 이제까지 記述한 바와같이 干을 運勢方位로 하는 까닭에 單純한 家出人이라면 干

만 보고 支는 參作程度로서 定한다. 그러나 家出人의 身體安否를 묻는 境遇는 支를 身體로 取扱하기 때문에 반드시 干과 支를 다같이 重要視하지 않으면 안되는 것이다.

□ 干支가 다같이 相生인 境遇

모든 것이 다 吉로 본다. 無事하다든가 곧 居所를 알게된다든가 곧 돌아온다든가 할 수 있다. 그 日數는 殘餘된 干의 數意에 依한다.

□ 干支가 다같이 相剋인 境遇

凶이라고 본다. 普通的인 家出人이나 사람을 찾는 境遇는 좀처럼 찾기 어려운 것으로 하며 當分間 돌아오지 않는 것으로 한다. 그 當事者가 大端히 困難한 立場에 處해 있다던가 (運勢인 干이 相剋인 까닭) 우환에 시달리고 있다던가 (身體인 支가 相剋인 까닭)라고 본다 身體安否의 面에서는 死亡이라던가 自殺의 危險이 있다고 본다.

□ 干이 相生이고 支는 相剋인 경우

普通的인 家出人이라면 吉 單只 그 當事者가 苦生(支 卽 身體의 剋)하고 있다던가 이便 에서 찾는데 大端한 隘路 身體的인 苦痛이 따른다는 意味가 되는 것이다.

□ 干이 相剋이고 支는 相生인 境遇

身體安否의 境遇는 危險은 없으나 大端히 困難을 받고 있는 狀態 또는 우환에 시달리고 있는 狀態로 본다.

普通的인 占에서는 찾지 못한다던가 좀처럼 돌아오지 않는다고 判斷한다. 支는 相生하고 있기 때문에 身體는 아무 異常이 없으며 平安히 지내고 있다고 본다. 身體安否라는 面에서 는 支(病體)가 相生하고 있기 때문에 당장 곧 죽는다던가 하는 일은 없으나 亦是 干이 相 剋하고 있기 때문에 危險하다고 본다. 單 支가 相生임으로 아직은 身體는 安全하기 때문에 早速히 手配함으로서 救할 수가 있다.

□「丙」「辛」이 表出된 境遇는 警察에 早速히 申告하여 手配함으로서 찾을 수가 있다.

□ 陰陽 或은 表裏의 境遇

時間이 걸린다던가 居所만 알 수 있을 뿐 돌아오지 않는다던가 돌아와도 다시 또 家出한 다던가 하는 意가 있다.

□ 場所 方位는 十干의 關係에서 殘餘된 干에 依해서 본다.

그 境遇에 上下의 關係, 即 日에서 時間의 境遇는 近處로 하고 時間에서 日에의 境遇는 遠距離라고 본다. 方向의 境遇에 裏의 干으로 表出되는 수가 있다. 即「甲」으로 東 方이라 判斷하거나 或은「甲」의 合인「己」로 西南方이라고 보는 수도 있다.

□「戊」가 表出된 境遇 轉轉하여 一定한 場所에 있지 않는 일이 많다.「庚」「乙」은 혼 들거리고 있는 境遇가 많으며 主로 繁華한 場所이다.

□ 異性의 同行 同伴者가 있나 없나는 天干의 陰陽과 象意에 依해서 判斷한다.

陽뿐인 干의 境遇는 男性 또는 女性뿐으로서 異性이 없는 것으로 하며 陰뿐인 境遇도 또한 陽뿐인 境遇와 같은 理論이다. 陰陽의 境遇「庚」「乙」등이 表出된 境遇는 異性의 同伴, 또 同行者가 있는 것으로 判定한다.

(7) 도난 失物의 鑑定法

確實히 盜難을 當했다고 認定된 事項의 境遇에는 그 盜難當한 物品을 되찾을 수 있는가, 않인가? 盜者가 잡히는가 안 잡히는가를 보는 것이다. 또 單純한 失物의 境遇에는 自身의 不注意로 因하여 잃었는가 또는 되찾을 수 있는가 없는가를 알기 爲한 것이 이 盜難失物의 경우인 것이다.

□「盜難 失物」의 境遇는 干의 關係만으로도 足하다. 支의 關係는 身體的인 勞苦가 따르는가 않인가 하는 것을 보는데에 參考的으로 할 뿐임으로 事實의 吉凶에는 過히 關係가 없는 것이다.

□ 盜難인지 或은 自身의 不注意로 因하여 생긴 失物인지 如否가 分明되지 않을 境遇에는 相剋의 關係를 盜難으로 하고 相生의 關係를 自身의 不注意에 因한 것으로 한다.

□ 干과 支가 다같이 相生인 境遇 物品도 나오고 찾을 수 있는 것으로 하고 盜人도 알 수 있거나, 잡을 수 있거나이다. 上

에서 下로의 相生 即 日에서 時間을 相生하는 境遇는 그것이 早速한 時日內에 되돌아올 것이며 下에서 上으로의 相生인 境遇는 即 時間에서 日을 相生하는 境遇에는 若干 時間이 걸려야 解決된다.

□ 干이 相剋인 關係의 境遇

이것은 物品은 나오지 않으며 찾지 못하고 盜人도 알 수도 없고 잡지도 못하는 것으로 한다. 或 나온다해도 그 失物들은 元來와 같이 使用할 수 없는 境遇가 많다.

□ 陰陽 表裏의 關係인 境遇

短時日에 解決되어 되돌아올 수 있겠으나 間或 時日이 經過되어 日字를 끌면 어렵다.

□ 相生의 境遇에 上으로 即 時間으로부터 日로 相生되는 境遇는 物品은 나오지만 數量이 不足해져 物品의 形態가 變해 있는 境遇가 많다.

□ 盜難 失物의 數量은 殘餘된 干의 數意로 鑑定한다.

있는 場所도 表出된 日과 時間의 干으로 본다. 上으로 即 時間에서 日로 相生된 境遇에는 上方이라든가 높은 곳이라든가 下로 相生인 때 即 日로부터 時間으로 相生하는 境遇는 下方이라든가 낮은 곳, 얕은 곳 또는 무엇인가의 밑에 있는 것으로 한다.

□ 干이 「戊」 「己」가 殘除된 境遇에는 相生이라 하더라도 物品이 不良하게 되어서 나오는 수가 많다.

干이 相生이라 할지라도 支에서 「申」字가 表出된 境遇에는 盜難되는 일이 많다. 「申」字를 盜人으로 하는 뜻이 있기 때문이다.

(8) 出産의 鑑定法

「出産」에 關한 占은 疾病과 같이 반드시 支의 關係를 干과 같은 比重으로 重要視하지 않으면 안된다. 까닭인즉 出産이란 女性에게 있어 疾病은 아니드라도 大端히 많은 肉體的인 苦痛과 勞力이 必要한 것으로서 本秘法은 支를 身體로 삼는 까닭에 出産은 身體의 吉凶을 生覺하지 않을 수가 없기 때문이다.

□ 干과 支가 다같이 相生인 境遇

이것은 말할 것도 없이 吉이다. 産婦도 産兒도 無事하며 出産도 順産이다. 上에서 下로 相生 即 日에서 時間으로 相生하는 境遇는 早速히 아주 쉽게 順産하거나 豫定日에 별 틀림없이 順調롭게 出産할 수 있다고 본다. 下에서 上으로 上生 즉 時間에서 日로 相生하는 境遇는 出産하는 時間이 길어지거나 豫定期日이 틀려지거나 한다(이런 境遇 豫定日보다 早産하는 일은 거의 없고 틀림없이 늦어진다).

□ 干과 支가 다같이 相剋인 境遇

運勢(干)도 身體(支)도 相剋임으로 大凶이다. 이것은 胎兒뿐만 아니라 産婦의 母體에도

□ 天干이 相生이고 地支가 相剋인 境遇

이것은 大端히 判斷하기가 어렵다. 後章에 記述한(占前의 審事)를 잘 參照해주기 바란다 普通은 身體(支)에 關係가 없는 雜占에서는 多少의 勞苦는 따르나 干(運勢)가 相生임으로 吉이라 할 수 있겠으나 疾病이나 出産과 같이 身體(支)도 重要視해야 하는 鑑定의 境遇는 天干이 吉이라 해도 支가 凶일 境遇는 相當히 나쁜 影響을 미치는 것으로 한다. 支(身體)가 相剋인 때문에 大端한 難産으로 보나 干(運勢)가 相生임으로 結局은 救함을 받는다. 또 干을 母親으로 하고 支를 子息으로 하는故로 胎兒는 難産의 結果 死亡하나 母體(干)은 산다고 할 수 있다. 要컨데 干이 相生함으로 凶中에 吉이 있어 危急한 面에서 救함을 받는다고 할 수 있다.

□ 干이 相剋이고 支가 相生인 境遇

이것은 支(身體)가 相生임으로 出産할 當時에는 意外에도 簡單하게 順産하나 干이 相剋인 故로 後에 가서 좋지 않음을 意味한다. 例를들면 出産은 大端히 가볍게 끝마치였으나 (支가 相生임) 그러기 때문에 注意 및 調理를 疎忽히 하여 오히려 産後의 후유증으로 健康을 그르치게 하면 死亡하는 등의 惡事가 종종 있다. 또 出産에서 胎兒만 無事히 살아남고 (支가 〈子息〉 相生인 故로) 産母는 出血이나 시켜줍니다.

性行爲는 本來 相對的인 것이며 올가니슴에는 赤裸裸하게 희열을 나타내는 女性을 自己의 滿足感뿐만 않이라 男性의 性的인 테크닉에 對하여도 좋아하고 있다는 意味이며 二重으로 相對가 되는 男性을 興奮시켜 滿足시킬 것입니다. 그러한 여성과 섹스쾌락을 가질려면 입이 큰 여성을 고르는 것도 좋겠다고 보겠다.

※ 厚唇의 女性일수록 感度가 좋다.

前項에서도 잠간 말한바와 같이 女性의 性感은 입의 大小보다도 오히려 唇厚나 彈力의 有無에 左右됩니다. 特히 唇厚가 問題입니다. 南洋土人이나 黑人과 같이 唇厚의 婦人은 대체로 陰唇은 약합니다. 北歐人種 即 덴마크나 노루웨이 女性은 逆으로 唇이 얄팍하며 陰唇이 肥大한 사람이 많다고 합니다. 性感에서 말하면 陰唇이 얄팍한 것이 快味가 있읍니다. 이는 男性에 있어서도 그녀 自身에 있어서도 그러합니다.

北歐의 노루웨이나 스웨덴에서의 未婚男女의 섹스의 亂行은 有名합니다. 識者는 이를 社會保障制度가 完備되여 있기 때문에 私生兒를 나아도 國家에서 引受함으로 곤란하지 않다고 합니다. 確實히 그것도 一理가 있겠읍니다마는 보다더 깊은 理由는 快感의 希薄性에 그 原因이 있다고 할 것입니다. 女性에 있어서 特히 그러 합니다.

即 진자 絶頂感을 滿喫하며 亂行하고 있는지 快感이 없어서 이러지는 않을터 인데 하면서 小說

이나 性典에 쓰여저 있는 絶頂感에 對한 期待때문에 자주 相對를 交替하고 있는지 알 길이 없읍니다.

總體的으로 北歐의 女性은 鈍感입니다. 저 嚴寒에서 살아 남아야할 本能的인 그것은 生活의 知惠일지도 모르겠읍니다. 皮膚나 粘膜이 銳敏하면 저 추이에 神經이 견디어 내지 못할 것입니다. 그대신 陰旱 陰唇과 같이 보통때는 衣類로 덮여저 있지마는 그것을 使用할 때 노출되어야 할 器官의 살갗은 厚하다. 따라서 感度는 鈍하다. 하는 등등의 모든 것은 神의 攝理입니다.

即 脣厚는 女性의 陰唇의 부피와 反比例입니다.

또한 입술의 미덕은 料理의 자잘못의 관계에도 關係가 있읍니다. 本來 口唇은 味覺神經과 密接하게 연결되여 있읍니다. 味覺이 銳敏한가 않인가는 입술을 보면 알 수 있읍니다. 입술이 두꺼운 사람은 男女를 不問하고 味覺이 發達되여 있읍니다. 料理人은 반드시 下唇이 많은 사람이라 합니다. 입술이 얇은 女性은 料理를 잘 못합니다.

당신이 만약 藝術家 氣質인 獨身의 男性이라면 입술이 두꺼운 女性과 結婚하십시요. 왜냐하면 藝術家 타잎으로서 식복도 있으며 매사에 열이가 있는 사람이며 평생동거 생활에도 만족할 것입니다. 직업중에서 藝術家일수록 성욕이 강하고 화려합니다. 대체로 美食家이며 家庭에서도 잔소리가 많습니다.

第七章 干支秘法의 應用法(其三)

(1) 訴訟 交際事의 鑑定法

「訴訟」은 이기느냐, 지느냐 그에 소요되는 月數 상대의 상태와 그 상대방에서의 취하는 方法、辯護人의 吉凶 등을 감정하는 것이며 「交際事」에 있어서는 그 일의 成否、相對의 상태 당사자의 勢의 강약 등을 감정한다.

□ 「訴訟」 문제에 있어서 時間이나 日이나의 干에 자신의 생년(생월) 干이나 或은 裏의 干이나가 나타나 있는 경우에는 그것을 當人(나 自身)으로 삼고 관계가 없는 干을 상대로 하여 상대자의 관계를 鑑定한다.

「交際事」도 訴訟問題도 같은 요령 같은 방법으로 감정한다.

□ 自身(生年 또는 生月)에게 관계의 干이 나타나 있지 않는 경우는 日干을 他(상대)로 고 時干을 我(自身)으로 한다.

□ 이 占에서는 主로 干의 상생 상극관계의 길흉을 重히 여기며 支의 관계는 단지 참고로 한다.

□ 生年 또는 生月의 干과 日과 時間의 干의 관계에서 남는(殘餘) 干과가 相生이 된다면

결국에 가서는 有利하게 된다. 그 途中에 경과는 日과 時間의 상생상극에 依한다.

□ 상대자의 관계에서 我가 相生받는 것을 吉로한다. 즉 승부관계라면 이기는 것이며 이익이 있는 것으로 하며 교섭하는 일이라면 성공하는 것이며 自身에게 유리하게 된다.

□ 支의 관계의 감정법

이상 감정법에서는 干을 中心으로 하여 감정하나 支의 관계가 상생의 경우에는 平하게 된다. 무난하다, 잘 이루어진다, 몸을 움직이지 않고도 즉 바삐 쫓아다니지 않고도 성공한다는 뜻이 있으며 상극의 경우에는 고생한다거나 착실히 쫓아다니고 노력하여서 비로소 성공한다는 뜻이 있다.

□ 干이 상극하는 경우

이것은 흉이다. 敗背、敗訴、損失로 하며 교섭하는 일도 잘 진전되지 않는다. 단지 소송관계의 감정에서 상대자의 관계에서 我가 상대자를 상극할 때에는 一時的으로는 유리하다던가 이긴다, 순조롭다고 할 수 있겠으나 결국에가서는 我가 불리해지기 때문에 我가 상대방을 극할 때는 조속히 合議취하는 길이 현명하다.

이 경우 我가 상극하는 것이기 때문에 언뜻 유리하고 좋은 것 같이 생각되겠으나 되로주고 말로 받는다는 式의 反動作用이 있기 때문에 결국에 가서는 我의 피해가 더 커지는 일이 되기 때문에 반드시 상극할 때는 注意가 대단히 필요하다.

□ 干에서「丙」이나「丁」이 나타났을 때에는 상생 상극에 관계없이 서류, 인장 등의 잘못 실수 등이 생기지 않도록 세심한 주의가 매사에 필요하다.

□ 干에서「丙」「丁」「辛」 등에게 상극을 받을 때에는 大凶이다.

□ 干에서「申」이 나타났을 때에는 상생 상극에, 관계없이 거짓말 속임수 등에 상당한 주의를 잊지 말 것. 특히 교섭하는 일에 대한 占에서는 상생이 된다 해도 凶으로 한다.

□ 支에서「酉」가 상대방(彼我의 관계에서 상대에게 있을 경우 日이든 時間이든)에게 나타나 있을 경우에는 법을 잘 아는 法조인이 옆에서 지휘 소개하면서 붙어있다고 본다.

□ 支에서「辰」「寅」「戌」이 나타났을 때에는 싸움, 시비에 주의하지 않으면 아니된다. 干이 상생이라도 싸움이나 시비 등으로 인하여 성공하지 못하고 끝나는 일이 많다.

(2) 移轉 旋行等에 관한 鑑定法

「移轉」「旅行」 등의 감정인 경우에 그 吉凶 또는 그것들에 依해서 기쁨이 있겠는가. 않인가 하는 등의 일방적인 문제의 경우에는 干의 관계만으로 충분하다. 그러나 「移轉 旅行」에 있어서 신체안부관계의 문제라면 支의 관계도 干의 관계와 같이 중요시하지 않으면 않된다

□ 自己에 關係가 있는 干을 我로 하고 支의 경우에는(없을 경우에는 時間의 干을 我로 한다). 다른 干을 이전하는 곳, 또는 여행하는 목적지로 한다.

役(이전하려는 곳이나 여행목적지)에서 상생받을 떠는 대단히 吉이나. 즉 기쁜 일이 있을 것이며 여행하는 目的도 별로 힘드리지 않고 快適하게 이루어질 것이며 또 그 지내는 동안에도 유쾌하고 기분좋은 일이 생겨, 즐거운 여행이라 할 수 있다.

□ 「移轉 旅行」 등에 있어서 신체안부의 감정의 경우는 干과 支가 다같이 상생이라면 무사할 것이며 상극이 있다면 事故가 있는 것으로 한다.

□ 干이 상생이고 支가 상극인 경우, 신체의 노고, 피로움이라든가, 여행지에서 또는 이전한 곳에서 疾病이 있는 것으로 본다. 그러나 干이 상생임으로 큰 사고는 없는 것으로 본다.

□ 干이 상극이고、 支가 상생인 경우、 몸은 편안하고 안락하나 무엇인가 장해、 막힘 등이 있는 것으로 한다.

□ 干과 支가 다같이 상극인 경우、 凶하다고 감정하며 이전후 운세가 나빠진다든가 질병에 시달린다든가 여행의 목적을 이루지 못하는 것으로 한다.

□ 여행占의 경우에 干支의 관계가 상생의 관계에는 吉로 하나、 이것은 移轉 或은 여행하는 운기가 吉이라는 것일 뿐、 그 方位가 吉이다 하는 것은 아니다. 그러므로 이전의 방위는 어디까지나 方位法에 依해서 方位 그 자체의 吉凶을 알고서 이전하지 않으면 안된다. 相生이라고 해서 그 상생된 후에 남은 干의 方位를 택하여 五黄殺方位나 暗劍殺方位

그 外의 凶方位로 움직이지 않도록 注意할 것이며 혹 무시해서는 않된다.

(3) 疾病의 鑑定法

「病占」은 현재 병중인데 이 병이 낳을 것인지 않인지 낳는다면 언제이며 반대로 위험하면 그 시기는 언제인지 등을 알려고 하는 것과、병명이나 원인을 알 수 없는 병으로 고통을 받고 있는데 그 원인이나 병명은 무엇인지 등이 두 가지로 나눌 수 있다. 또 병의 증세나 상태에 관해서의 판단도 필요한 것이다.

□ 病占은 신체면에 관련되어 있고 고통을 받고 있는 것임으로 干과 支를 같이 중요시하여야 한다.

□ 干과 支가 다같이 五行 상생하는 관계를 吉로 하며 질병도 낳는 것으로 하며 병세나 상태도 경쾌하는 것으로 판단한다. 病占의 경우에는 我를 상생하느냐 않하느냐에 關係없이 上에서 下로 즉 日에서 時間을 상생하는 것을 第一의 吉로 하며 早速히 완쾌하는 것으로 한다. 干과 支가 다같이 상극일 경우 運氣도 신체와 다같이 약해져 있다고 봄으로 大凶으로 한다.

重病의 경우 병 감정이라면 살지 못하는 것으로 하며、가벼운 질병일지라도 오래 끌거나 점점 더 심해져 간다고 본다. 그러나 같이 상극일지라도 上에서 下로의 상극하는 경우에는 즉 日에서 時間을 상극하는 경우에는 오래동안 앓지 않는 大凶운이고, 下에서 上으로 상극 즉 時間이 日을 상극하는 경우에는 急速하게 악화되거나 곧 死亡하거나 하지 않고 오랜 시간을 끄는 병자가 된다.

□ 干은 상생이고 支는 상극일 경우、신체로 취급하는 支가 상극하는 것으로 어지간히 중태이거나 또는 고통이 격심한 병으로 본다. 그러나 一大干쪽이 상생하고 있음으로 생명에는 별 지장이 없는 것으로 본다.

□ 干은 상극이나 支는 상생인 경우、이것은 전번에 쓴 것과는 반대로 병자 그 자신은 병을 그다지 중하다고 생각치 않는다든가, 고통을 느끼지 못하고 있다든가 하는 경우가 많다(그것은 신체로 취급하는 支가 상생하고 있기 때문이다). 그러나 干이 상극임으로 凶으로 보나 支가 상생되어 있음으로 곧 急變하리라고는 생각할 수 없다.

□ 陰陽 表裏의 경우、一進一退 제자리걸음을 하고 있는 상태인 경우가 많다. 그러나 결국에는 완전히 치유되나 상당한 기일이 걸릴 것으로 본다. 表裏의 경우는 상당히 식이요법에 주의를 기우리지 아니하면 다시 재발할 위험이 따른다.

□ 干은 상생이며 支는 상충이될 경우、干이 상생되어 있음으로 병 그 자체는 이미 치유되어 있으나 정신면에서 아직도 완쾌하지 못하고 있는 일이 많다. 近來에 와서 흔히 말하는 노이로제나 혹은 자신은 아직도 병이 치유된 것이 아니라고 생각하여 사서 병을 만드

는 것 같은 것을 말한다.

例를 들면 정밀검사를 해 보아도 또한 여러 가지 검사를 해 보아도 아무렇지도 않는데도 현기증이다 심장이 두근거린다고 호소하는 노이로제 환자가 이런 것이다.

□ 支에서 「戌」이 나타났을 때는 중병증세로 한다.

□ 支에서 「申」이 나타났을 때는 女性특유의 생리장애에 의한 여성병(부인과계통 질환)이 많다.

□ 干의 「戊」「乙」가 나타났을 경우에는 干支가 상생이다 할지라도 급변이나 재발에 주의하지 않으면 안된다. 그 경우에 주로 「戊」는 재발이나 되풀이, 「己」는 급변을 주의하지 않으면 아니된다.

□ 중병이나 큰 상해를 입어 死亡의 경우에서는 남은 干이 陽일 때나 午前中 陰이라면 午後로 하고 병자의 出生時의 相冲의 支에 해당되는 時間을 위협한다고 본다.

例를 들면 申의 時間에 태어난 者라면 寅에 해당되는 시간에 사망한다고 하며 辰時에 태어난 者라면 戌에 해당되는 시간이라고 본다.

□ 病勢나 병의 증상은 干과 支의 상생상극과 음양과 象意에 依해서는 判斷하는 것이다.

□ 상생 상극에 불구하고 日과 時間의 관계가 陰과 陰, 혹은 陽과 陽 이와같이 陰陽을 나타냈을 경우에 日과 時間의 關係가 陰과 陽의 관계의 경우라면 普通인 정상으로 유지하는 것이며

우에는 불규칙적인 병세, 변한 병상을 나타내는 일이 많다.

□ 相生이거나 상극이거나를 막론하고 上에서 下로 즉 日에서 時間에게로의 關係일 때는 고통도 그렇고 병증세도 腹部에서 하반신에 나타나며 병환도 깊은 병이다. 반대로 下에서 上으로, 즉 時間에서 日에의 關係인 경우도 腹部에 上部나 頭部에 걸쳐 나타나, 병도外面에 나타나기 쉽고 혈압도 높은 증세라 할 수 있다. 例를들면 上에서 下로 즉 日에서 時間에의 경우에는 배가 아푸거나 허리가 아푸다. 또는 허리가 冷해진다든가 하며 병이 內功的이기 때문에 便秘 內臟疾患계통이다.

反對로 下에서 上으로 즉 時間에서 日에게로 상생상극이 될 경우라면 어깨가 저린다. 가슴이 답답하다든가 머리가 아푸다. 또는 귀가 아푸다든가 하는等 上半身에 나타나 病疾이 表面的이기 때문에 담이 난다. 코물이나 감기 기침 설사 출혈 等等 표면적인 병의 증상이 나타나는 것이다.

병관계의 감정의 경우에는 반드시 그 병자의 生年 或은 生月의 干과 日과 時間의 관계에 있어서의 남은 干과의 對照할 것을 절대로 잊어서는 않된다.

(4) 試驗 選擧의 鑑定法

이 감정에서는 合格이냐 아니냐 또는 당선이냐 낙선이냐의 두가지중 하나를 보는 것임으로 이 것은 大體로 「운세 희망 소망」占과 같이 감정하는 것이다.

□ 干을 中心으로 주요시하며 支는 가볍게 참고정도로 하는 것이다.

□ 干도 支도 다같이 상생되는 관계를 吉로 한다.

단지, 이 감정의 경우에는 다른 목적이나 희망 등과 달리 시험이나 선거는 짧은 기간에 걸친 일임으로 上에서 下로 즉 日에서 時間으로 상생하는 것을 吉로 한다.

上으로 상생 즉 時間에서 日로 상생의 관계가 되는 경우에는 상당한 노력을 하지 않으면 불합격할 경우가 많다. 또 보결 차점에서 특수한 사정으로 당선 혹은 뒷구멍 입학 등으로 생각할 수도 있다.

□ 入試나 선거의 당선여비의 감정을 하고 경우에는 支쪽의 상생상극의 關係는 선거에서는 동분서주試으로 몸이 바쁘거나 어떤가를 알 수 있고 입시에서는 건강상태와 두뇌의 활동의 상황을 보는데에 필요한 것이다.

□ 陰陽相生相剋의 경우, 이것은 他의 감정법과는 달리 當事者의 運氣(當年의 運勢)가 相當한 吉運이 아니라면 別로 신통치 못하다. 왜 그런가 하면 이 陰陽 상충은 되풀이되어 결국은 끝으로는 吉이 되는 관계이다. 다른 일들은 多少의 장애가 있어 시간이 걸리더라도 吉로 결과를 맺어지나, 이 시험이나 선거만은 짧은 시간내에 결정을 보는 것이기 때문에 어려운 것이라고 보는 것이다.

□ 入試의 경우에 支가 상극관계에 있을 때는 신체검사나 건강상의 문제로서 장애가 있는 것으로 감정한다.

支中에「申」이 나타났을 경우에는 머리 즉 두뇌를 너무 과도했거나 눈의 피로 등으로 한다.

天干中에서「辛」이 남은 경우에는 相生이라 하더라도 상당히 困難하다고 보는 것이다.

(5) 株式、其他 時價에 關한 鑑定法

증권이나 주식, 그 支의 가격의 유동 즉 오르고 내림은 이제까지 記述하여 온 상생상극의 길흉과는 全혀 다른 것이다.

이제까지는 相生을 吉로 보며 相剋을 凶으로 하여 吉도 없고 凶도 없는 것이다. 株가 올라감으로서 그것에 위하여 得을 보는 사람도 있고 또 損害를 입는 사람도 있다. 이와같이 내림세라 하여 반드시 損害를 입는 사람이 많다고는 할 수 없다. 오히려 반대로 그것에 의해서 得을 보는 사람도 있는 것이다. 要컨데 株나 時價는 유동이 있음으로 해서 비로소 吉이 되기도 하고 凶이 되기도 한다.

그러므로 株나 時價의 上下유동에는 그것 自體의 吉凶을 論하지 않는다. 결국에는 그 당사자의 운이 있으면 株나 時間의 上下유동에 구애됨이 없이 得을 얻을 것이며 運이 나쁘면

□ 株에 依해서 得을 보느냐 損害를 입느냐 하는 것은 日과 時間의 關係에서 남은(殘餘干) 干과 그 당사자의 生年의 干 或은 生月의 干이 相當하고 있는가, 않인가에 依해서 鑑定하며 또 그 당사자의 運(그 時期의 運)이 좋은 때인가. 나쁠 때인가에 依한다.

株나 時價의 上下유동은 상생상극에 關係가 없다.

株나 時價의 判斷에는 天干만을 使用한다. 단 地支일지라도 土性일 경우에는 地支도 參酌해서 본다. 상생상극은 吉凶에 關係없이 변동의 強弱이나 遲速을 알기 위하여 使用한다.

即 相生을 원만한 변동으로 하고 상극을 급격한 변동으로 한다.

上에서 下로 즉 日에서 時間에게로의 경우는 상생상극에 關係없이 下落勢라고 본다. 반대로 下에서 上에게로의 즉 時間에서 日로의 경우에는 상생상극에 關係없이 上昇勢라고 본다.

또 遲速의 判斷에는 前記한 바와같이 상생상극에 依해서 判斷한다.

例를들면 上에게로의 相生의 경우에는 徐徐히 上昇할 것이며, 相剋의 경우에는 급격히 下落하는 것으로 한다.

下에서 上에 相剋(時剋日)   急上昇
上에서 下에 相剋(日剋時)   急下落

陰陽의 경우는 相生관계와 같은 要領으로 본다.

단지 이 경우 상생의 관계보다도 더욱 원만한 것으로 본다.

相冲관계의 경우는 相剋과 같은 것으로 본다. 단지 곧 元狀으로 되돌아오거나 우물쭈물 하는 것으로 본다.

같은 天干의 관계의 경우는 保合상태라고 判定한다.

「戊」와 「己」가 나타났을 경우는 亂調임으로 곧 가치가 동요된다고 判定한다.

支의 「丑辰未戌」이 나타났을 경우는 上下의 상생 상극의 관계없이 유동이 있음으로 충분히 주의하지 않으면 안된다.

株의 종류는 干의 象意로 判定한다.

以上으로 大體的인 日常生活에서 있어서의 모든 判斷에 필요한 감정하는 要領과 종류를 說明은 다 한 것으로 生覺된다. 運命감정을 業으로 하고 있는 分도 그렇지 않는 分도 前章까지에 말한 모든 것으로서 充分하다고 生覺한다.

「求財 就職」等은 「희망 소망」等의 감정법과 全部 같다고 生覺하면 되고 또 고용인을 고용할 경우는 「운세」와 같이 그 고용할 사람에 依해서 自身이 吉인가 凶인가 하는 意味로서 判定하면 되는 것이다.

이 우리가 영위하고 있는 사회에서의 생활은 복잡다단하기 짝이 없다. 고로 처세상 여러가지로 어려운 問題들이 생기기 마련이나 그러한 問題들이 거의 前記項目에 다 해당되는 것으로 生覺된다.

要는 干支의 상생 상극과, 그 象意에 依해서 감정하면 될 것이며 「株 時價」의 判斷을 除外하고는 모든 것이 상생을 吉로 하고 有利한 것으로 하며 每事 成就 成功 達成된다고 判定하면 되는 것이다.

第八章 干支秘法鑑定비결

(1) 보다 낳은 감정을 爲해서

人事百般의 吉凶을 또 其他를 감정함에 있어서 반드시 마음속에 깊이 새겨두지 않으면 안 될 한 가지가 있다. 이것은 어디까지나 「정확한 더우기 近代社會에 있어서의 常識的인 判斷」을 하기 위한 하나의 수단이기도 하다.

例를 들면 病占上에서 十이라는 數意가 나왔을 때에 十日後에 낳는 것인지 百日後 완쾌되는 것인지 또는 病狀에 依해서는 十時間後에 완치되는 것인지 하는 等의 問題가 생기는 境遇가 있다. 이와 같이 數意가 三日 경우에 金錢관계에 關한 判斷에서 三百원인지, 三千원 三萬원、三十萬원、三百萬원인지 하는 問題인 것이다.

이러한 경우에 다음에 말하는 事項에 依해서 確實히 斷을 내릴 수가 있게 되는 것이다.

때문에 大端히 重要한 事項인 것이다.

(2) 감정하기 前에 알어야 할 상식

이 名稱은 筆者가 새로히 뜻한 바가 있어 붙인 것으로 元來는 「筮前審査」라는 명칭으로서 易의 眞勢中州에 依해서 傳來되어 易學術者들이 大端히 重히 여기며 使用하는 方法인 것이다.

占筮를 하기 前에 모든 것을 詳細히 해두지 않으면 아니되는 事項이 있다. 이것은 비단 易占에 限定된 問題가 아니고 本秘法에서도 또 다른 秘法, 다시 말해서 世上事가 그러하듯이 일에 앞서서 明白히 해두는 것이 重要한 것이다.

今世代에 이르러 事業에서도 外交 交易 運動等 모든 面에서 情報를 入手하고 審議하고 하는 等은 다 그만치 重要한 것이기 때문이다.

氣學(方位學)에서는 二十年鑑定法이라 하여 過去에 居佳, 使用해 온 方位(移轉했던 方位를 뜻함)을 調査하며 生家의 家相과 胎內에 있을 當時의 居住한 家相까지를 調査한다. 또 一般의 病院에서도 診察前에 반드시 過去에 앓는 症勢, 近間의 身體的 狀況等을 묻고 然后에 診察을 할 것이다. 즉 問診 視診等을 使用하여 모든 것을 보다 詳細히 하기 爲함인 것이다.

그러한 여러가지를 生覺하여 本秘法에 사용하기 위하여 명칭을 변경한 것이다. 本 秘法은 筮에 依하지 않기 때문에 鑑定前에 事項을 明白히 해 두는 意味에서 鑑定前의 審査라 한 것이다.

그러면 이 「鑑定前의 審査」에서는 事項을 判斷하기 前에 그 事項에 관계되고 있는 六個

項의 事情을 明白하게 하지 않으면 안된다.

※ 「鑑定前의 審査」란?

一、鑑定을 請한 者의 分限을 明白히 할 것.

이것은 男女 老幻의 別, 그外 그 사람의 狀態等을 알아두는 것이다。

二、鑑定을 請한 者의 位置를 明白히 알 것.

이것은 그 사람의 社會的 地位나 職業의 種類、가족 육친들과의 관계 물질적 생활면에서의 여러가지 문제를 알아둘 것이다.

三、鑑定을 請한 者의 時를 明白히 할 것.

이것은 그 사람이 判斷을 請하는 때의 時間的意味를 뜻한다。 例를 들면 「언제 일이 생기었으며 그 경과는 어떻게……」 라는 뜻이다.

四、鑑定을 請하는 者의 居所를 明白히 할 것.

이것은 그 사람의 住所와 그 상태를 알아둘 것을 뜻한다。

五、鑑定을 請하는 곳의 事情을 細密히 물어서 알아 둘 것.

이것은 鑑定의 目的이 어디에 있는가를 알기 위하기 때문이다.

六、鑑定을 請하는 者의 勢를 관찰할 것.

이것은 그 사람의 勢力이다。 例를들면 같은 事件일지라도 強者、弱者、盛業中인者、失業

中인 者는 엄연히 다르기 때문이다.

以上의 六個項은 如何한 事項의 鑑定에 있어서도 重要한 것이다. 鑑定을 依賴하는 分들이 大略 「말없이 가만히 앉기만 하면 쪽집개式」으로의 名判斷을 期待하는 分들이 많으나, 그것은 이것과는 판이하게 뜻이 다르기 때문에 반드시 이 「占前의 심사」를 하지 않으면 안되는 것이다.

中國에서는 사람의 壽命, 病占 等에 있어서는 前述한 여섯가지 項目 以外에 또 한가지 「近處에 名醫가 있는가 없는가」를 알아두고 있다. 그 연후에 鑑定을 한다고 한다. 實로 머리가 수구러질 수밖에 없는 周意周到한 審査라 않이할 수 없다.

實際上으로 어떻게 다른가를 간단히 말해 보고저 한다.

運命學의 判斷에서는 社員과 重役과 社長과는 吉凶에는 關係없이 그 判斷도 現狀도 또 對處法도 다르기 때문에 第一項에 第二項의 地位를 確實히 알아두어야 한다는 必要가 있게되는 것이다 數意等에서도 第一項의 分限과 二項의 地位와、五項의 事情에 依해 千원일 수도 萬원일 수도 或은 百萬원일 수도 생기는 것이다.

또 干支가 다같이 上에서 下로 相生일지라도 「庚」이 남은 경우의 병점에서는 一項의 分限、三項의 時期、五項의 事情에 依해 完治되여가는 경과가 각인각양으로 다르게 되는 例

이다. 一項의 分限에서 平素 健康한 靑年임이 判明되고 五項의 事情에 依해 疲勞에서 오는 유한 熱이라고 判明되었다면 「庚」의 七과 二의 數意에 따라 七時間後에는 熱도 내리고 二日後에는 全快한다고 보아도 좋은 것이다.

또 같은 干과 支이며 같은 關係이고 같은 熱에 關한 病占이라도 一項의 分限에 依해 前者와 같은 干支의 關係일지라도 相當히 다르게 된다. 即 「庚」의 七의 數意라도 幻兒이고 惡性的인 疾病이라면 七十時間程度는 熱이 있다고 볼 것이며 七日程度로는 體力이 回復되지 않는 것으로 한다. 그러므로 庚의 天干合인 乙의 二數로서 二十日後에 完快한다고 보게 되는 것이다.

또 干이 상극이고 支는 상생의 관계인 경우일 때, 출산의 감정은 이 「占前의 심사」에 依해 大端히 다른 판단이 나온다. 干이 庚金과 乙木으로 상극임으로 일단 凶이라고 하나 그것이 모체의 위험(干은 母로 하고 支를 子로 하는 까닭에)으로 보느냐 胎兒의 지나친 성장 때문에 그는 母體의 위험으로 보느냐는 「占前의 심사」의 三項의 時期에 따라 明確히 판단할 수가 있는 것이다.

即 一項과 六項의 심사에 의해 건강한 부인이라면 출산은 가볍게 출산한다(身體인 支가 相生), 그러나 安心한 것이 오히려 不注意에서 오는 후유증이 後에 나타난다고 본다(干의

상극) 또 一項과 六項의 설명에 依해 그 부인이 平素에도 弱하여 임신중에도 여러가지로 신체상의 장해가 두드러지고 그 위에 三項의 時期의 심사에 의해 출산예정일이 넘었다고 판명되었다면 태아의 성장이 지나쳐(子息으로) 하는 支가 상생) 그 原因으로 難產이 되어 母體도 위험(父母로 하는 天干이 상극)하다고 볼 수가 있다. 以上과 같이 이 「점을 치는 사항」의 명확한 와 감정자의 원만한 상식과 近代생활에 입각한 판단에 의해서 감정을 할 수 있도록 바라는 마음 간절하다.

(3) 十干으로 病을 아는 秘法

病占의 경우에 있어서 그 疾病의 참된 근본 원인, 또는 원인불명의 질병이나 병명, 불명의 難病의 경우에 이 「十干의 병 아는 비법」을 이용해서 감정한다.

본 비법은 동양류의 의학, 즉 한의학의 기초가 되어 있음으로 질병도 그 사람의 근본적 질환에서 생기는 것으로 보기 때문에 이 點이 현재 행해지고 있는 서양의학과는 다소 다른 것이다.

例를들면 眼病이라도 눈 自體에 원인이 있는 것이 아니고 肝臟에 原因이 있는 것이며 皮膚病이라 할지라도 胃臟에 근본적인 원인이 있다고 보는 것의 동양의학(東醫漢學)인 것이다.

近間에 와서 서양의학도 스트레스醫學 精神醫學 等과 疾病이나 病症의 個個의 形象을 云云하다가는 이 복잡다단한 人體의 疾病을 고칠 수 없다는 것에 눈이 떠 질병자체의 참된 원인을 찾게 된 것이다. 이것은 서서히 서양의 각국에도 서적이 전가되여 각 국가, 자체에서 이 동양의학을 채택하고 연구장려하게 된 것이다.

본 비법에서는 이 근본질병을 보는데에 있어 干의 상의와 그 상호관계를 사용하고 있는 것이다. 질병의 치료뿐만 아니라 체질개선이나 예방의학에도 이용한다.

(4) 五行과 五臟의 관계

五行(五臟)이 상생하고 또는 상극하는 것으로 인해서 그 五臟의 성쇠 허실이 다음의 관계의 개소에 나타난다. 단 이것은 앞에서도 말한 바와 같이 서양의학에서 말하는 五臟과는 약간 다른 點이 있는고로 주의해주기 바란다.

　木──肝臟
　火──心臟(心色)
　土──脾臟(胃腸)
　金──肺臟
　水──腎臟

肝臟이란 肝臟系統이라는 意

※ 干과 內臟과의 관계

人間의 신체를 예로부터 五臟六腑라 해왔다。 그러나 五臟六腑는 相生相剋의 관계에서 다음과 같이 된다。 즉 干의 陰干을 五臟으로 하며 干의 陽干을 六腑라 한다(陽干이 六腑란 十에 二個가 있는 까닭이다)。

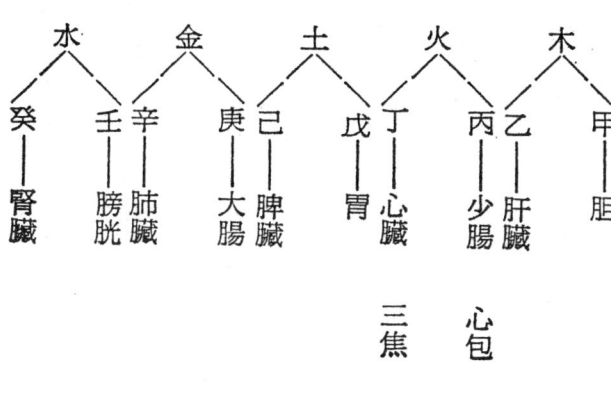

(5) 五行과 人體의 관계

五行(五臟)의 상생상극의 상호관계와 그 虛實에 의해서 그것에 의한 질병은 다음과 같이 人體部位에 나타난다.

木――목에서 上部、顏頭
火――眼肩
土――消化器、腹部
金――筋骨、四肢
水――血液、泌尿器

※ 五行과 病因의 관계

五臟六腑가 傷하는 것은 五行의 관계에 依하는 것인 것이나, 그 病因과 五行의 關係는 다음과 같이 된다.

醫學에서는 이것을 外因 또는 外邪라고 하며 他動的인 肉體損傷이라 본다.

木――風　　火――熱
土――混　　金――燥
水――寒

(6) 五行과 그의 病狀態

五臟六腑가 五因의 상생 상극에 의하여 병에 시달리면 다음과 같은 病狀이 나타난다. 本秘法에서 病狀판단에 이용하게 된다.

木   눈물이 나온다 (涙)
火   땀이 나온다 (汗)
土   군침이 나온다 (涎)
金   진눈물이 나온다 (涕)
水   침이 나온다 (唾)

以上의 五行과 干을 五臟六腑에 맞추어 그때 그때의 상생 상극과 견주어 이용한다면 질병의 참된 원인을 병세、병태、질병의 個所、그의 치료방법 등을 알 수 있게 되는 것이다.

(7) 十干急변 病…秘法

干의 상극관계中에서 급변하는 (운세)이나 病災의 상호관계를 다음에 알린다. 이것은 占日을 基準으로 하여 시간의 干을 본 경우로 上에서 下로 상극을 뜻하는 것이다. 이 경우에 十二支도 물론 상극관계이어야 하며 또다시 남은 干과 支가 그 사람의 生年 或은 生月干과도 상극이 되여야 한다는 것이 원칙이다.

一、 腦溢血、心臟마비、기타 급변의 죽음、운세몰락 등의 凶意의 관계。

　日　　時
　戊——壬（위장질환도 있다）
　己——癸
　壬——丙（심장질환의 뜻이 强함）
　癸——丙
　　　壬

二、 過勞、신경쇠약、뇌병、발광、호흡기질환、난병、기타 만성질환、악운세等의 凶意의 관계。

　日　　時
　丙——辛（결핵의 뜻 强함、노인은 癌）
　丁——庚辛 結核의 뜻 强함、노인은 癌
　庚——甲（뇌병 신경쇠약의 뜻 强함）
　辛——甲乙 뇌병 신경쇠약
　甲——戊（慢性長期疾患의 뜻 强함、胃腸病）
　乙——戊己（甲——戊와 같음）

三、 負傷、遭難 모든 他動的 外傷的 危難、他로 因하여 받는 災難等의 凶意의 關係

(8) 十干 身體安否秘法

「逃走人・身體安否」 등의 감정에 사용하는 것으로서 이것도 前記 「十干急變의 病災秘法」과 같이 十二支의 관계에서도 상극이며 남은(殘餘된) 干과 당사자의 생년干과도 또 상극이어야 함이 原則이다.

이 경우 干의 관계에서 남은 干이 다음과 같은 경우에 사용하는 것이다.

日 時
戊 —— 壬
己 —— 壬・癸
壬 —— 丙 (文書難 裁判官災問題 火難의 意 强함)
癸 —— 丙・丁 (文書難、官災、水難의 意 强함)

甲・乙 목을 맨다.
丙・丁 火難、飛入自殺(鐵道 水中)
戊・己 壓死、山崩壞、遭難、목맴、足傷
庚・辛 傷身、飛入自殺、劍難、鐵物傷害、交通事故、藥物事故
壬・癸 水難(小池、小河)

(9) 干支 表裏 秘法

干支에는 表裏라는 特殊한 關係를 갖이고 있는 것이 있다. 이 表裏關係는 干支가 全部 상극(但 支의 土性만은 比利이다)의 關係이다. 本秘法은 상극관계를 凶으로 보는 것이다. 이 表裏관계만은 凶으로 취급하지 않고「特別한 연관이 있음」으로 본다.

全部가 연관관계임으로 상극이라 할지라도 凶이라 보지 않고「反復 되풀이 장해 질질 끌음」등으로 본다.

그러나 이「특수한 연관관계」라도 어떻게 연관되느냐 어떤 작용으로 연관되어 있는가에 依해서 그 판단이 달라지게 되는 것이다.

天干쪽은 그 연관의 관계가 각각 다른 것이 특색이며 地支쪽은 이 연관의 연쇄작용이 각각 다른 것이 또한 특색으로 되어있는 것이다.

※ 干의 表裏

이 干의 表裏관계는 四柱秘典學等에서는 干合이라 稱하고 夫婦有情의 象等으로 보고 있다. 이것은 干의 관계가 正官星(夫星이라 본다)와 財星(妻星으로 본다)가 나타나기 때문인데 表裏를 부부의 특수한 연관관계라 본 것이다.

그러나 干의 表裏는 五種類가 있어 四柱秘典學과는 달라서 干의 상호관계는 볼지언정 그것에 특수한 의미를 갖는 星 즉 正官과 正財로 보지 않는다. 본 비법에서는 이 연관관계는 다음과 같이 區別하여 본다.

甲——乙　父母子息과의 관계
乙——庚　異性과의 관계
丙——辛　異性과의 관계(色情)
丁——壬　兄弟姉妹의 관계
戊——癸　主從의 관계

이 「연관관계」에서의 다른 點은 例를들자면 情이 깊다고 해도 그 관계가 「父母子息間의 관계」와 - 異性間의 관계」와 「主從間의 관계」와는 全혀 그 연관관계가 다른 것과 같은 것이다. 「父母子息間의 관계」는 어떠한 일이 생기든 어느 쪽에서도 끊을래야 끊을 수 없는 깊은 관계이며 또 「異性間의 관계」는 이것 또한 微妙한 연관관계인 것이다. 一時는 父母子息도 버리고 이 特殊한 관계의 인연에 맺어지는 일도 있는 것이며 百年의 사랑도 一時에 식어버리는 것 같은 일도 생기는 연관관계이다.

그러나 같은 異性의 사랑에도 임시 사랑의 關係와 夫婦관계에서는 이것 또한 연관관계에 복잡함이 더하다。

主從관계의 연관관계가 되면 상당동안의 인연은 있으나 결국에는 돌변하여 냉혹하게 끊어질 수도 있는 연관관계이다。 이와같이 이 表裏관계의 연관성은 區別하여 利用하여야만 하는 것이다。

※ 支의 表裏

支의 表裏에는 干의 表裏關係와 같은 연관관계 그 자체에 意味의 差가 있는 것이 아니고 十二支間 상호의 연쇄작용으로서의 연관에 緣이 있는 것이다。 즉 干의 表裏의 관계는 縱의 관계이고 支의 表裏의 연관은 橫的인 관계라고 할 수 있는 것이다。

※ 表　裏

　子──午는　　卯──酉에 연관
　丑──未는　　辰──戌에 연관
　寅──申은　　巳──亥에 연관
　卯──酉는　　子──午에 연관
　辰──戌은　　丑──未에 연관
　巳──亥는　　寅──申에 연관

要컨데、

子午卯酉와 表裏와 關係가 있으며 辰戌丑未와 表裏에 關係가 있으며 寅巳申亥와 表裏와

關係가 있다. 이것의 應用法은 例를들면 「子―午」의 表裏關係中에는 卯와 酉의 象意가 연관되어 있다고 보는 것이다.

⑽ 十干 十二支 變化秘法

干이거나 支이거나를 莫論하고 같은 干, 또는 같은 支가 重復이 되었을 경우에는 變化하여 裏干 裏支가 表面에 나타난다고 하는 것은 前記한 바와 같으나 또한 어느 干과 어느 支가 重復이 되었어도 變化하여 다른 支가 나타나, 그것의 氣 이 作用하게 되는 것이다.

例를들면 干인 甲과 甲이 重復되면 裏干인 己가 나타나며 支에 있어서 寅과 寅이 重復되면 裏支인 申이 나타난다.

그러나 이 干인 甲은 陽性인 木性이며 支의 寅도 같은 陽性인 木性이기 故로 甲과 寅인 경우에 같은 木性이며 같은 陽性이기 때문에 變化하여, 申을 化出하게 되는 것이다. 그럼으로 判斷의 경우에 申의 象意를 探擇하여 감정하는 것이다.

즉 甲과 寅의 경우에 때에 따라 일에 臨하여 申이 나타난다든가 申이 內面에 있다고 보고 判斷하는 까닭이다.

要컨메 이 十干 十二支의 變化는 同性의 五行 같은 陰陽의 干이나 或은 支가 있을 경우에 變化한다고 生覺하면 되는 것이다.

※ 干支의 變化

甲 陽木 寅 重復되면 申으로 變化
乙 陰木 卯　〃　　　　　酉로　〃
丙 陽火 午　〃　　　　　子로　〃
丁 陰火 巳 重復되면 亥로 變化
戊 陽土 辰　〃　　　　　戌　〃
戊 陽土 戌　〃　　　　　
己 陰土 丑　〃　　　　　未　〃
己 陰土 未　〃　　　　　丑　〃
庚 陽金 申　〃　　　　　寅　〃
辛 陰金 酉　〃　　　　　卯　〃
壬 陽水 子　〃　　　　　午　〃
癸 陰水 亥　〃　　　　　巳　〃

以上 干支法의 應用을 例로 들어본다.

例、甲午日의 丙申時의 감정、

```
 日  時   殘
 甲  ○ → 申  丙
 午  ×→丙  午 火生火
        午  (火剋金) 子
```

日과 時의 生剋에서 남은 干支는 丙午이나 그 것에는 「子」가 表裏關係의 原則으로 남은 수로서 子의 象意를 使用하는 것이다. 또한 例를 들면, 甲寅日의 丁巳時의 감정,

日	時	殘干支
甲○	丁	丁
寅○	巳	巳
申←	亥←	亥 變化支

日의 干支에서 申이 表出되고 時의 干支에서 亥가 表出되는 것이며 그의 變化한 支에도 亥가 表出되어 相生關係이다.

第九章 十干 吉凶盛衰秘訣

(1) 十干 生剋의 特徵

日과 時間에 있어서의 干의 關係에서 그 吉凶盛衰는 自然的으로 特徵이 있다. 그러므로 어떠한 鑑定의 目的이 있다손 치드라도 于先 이 天干의 關係의 特徵을 아는 것이 急先務이며 重要한 일이다.

以下에 記述하는 事項은 吉凶盛衰를 記述한 것이라고 生覺하면 된다. 特히나 目的을 取하기 위한 鑑定이 아니고 막연한 운세점이나 처음으로 운명감정을 要請하고서 은 사람 또는 그 年年 月月의 運氣를 보고저함에、利用한다면 大端히 便利하다. 또는 한가지의 目的을 알고저 하는 鑑定의 경우라도 干의 관계의 勢나 運氣의 흐름을 알기 위함에는 參考가 되는 것이다.

注意하여야 할 것은 여기에 記述한 干의 關係는 어데까지나 日과 時間의 干만의 關係이다. 때문에 그 사람의 生干 또는 生月의 十干과의 생극에 위해서 그 吉凶盛衰도 달라지기 때문에 부디 이 點에 흔들리지말고 陰陽五行 연구의 參考가 되도록 使用할 것을 바란다.

⑵ 十干 生剋 特秀秘法

「甲과 甲」인 경우

모든 것에서 떠나온 사람, 生家, 生地 또는 主家를 떠나온 사람으로 한다. 目的도 達成치 못하고 매사에 있어서 自己 뜻대로 되는 것이 없다. 故로 他人에게 依持 依賴心은 갖지 말고 自己自身의 힘으로 熱心히 努力한다면 十個月이나 五年後에는 幸運을 잡을 수가 있다 또 尊上 손위사람과의 意見에 어긋남이 있어 손위사람의 눈밖에 나 氣分을 傷하거나 하는 일이 있다. 그러나 이것은 어데까지나 一時的인 苦生이기 때문에 참고 견디어야 한다.

甲과 乙의 경우

이제까지는 여유 있게 살아와서 약간 너무 떠벌리고 여유있게 한 것에 對하여 注意를 하여야 할 때이다. 매사를 단단히 지키고 大事에는 注意하여야만 한다. 또 一家의 改革을 하고 저하는 마음을 갖기도 한다. 이 干의 關係는 이제까지보다는 若干 衰한 때이다. 그러므로 每事 집은 먹기 마련인데 하고저 하는 일에 치밀하게, 그리고 용기를 내어 겁을 除去하면 吉이 된다.

甲과 丙의 경우

大事를 計劃하고 있는 사람이다. 그 운세가 약한 衰한 까닭에 이 시점에서 단번에 복구하려는 마음이 생겨 일확천금을 꿈꿀 때이다. 그러나 운기는 약간 下同性이기 때문에 매사가 生覺하는대로 되지 않어 마음이 조급하여 오히려 사항이 악화될 염려가 있다. 조용히 있으면 상생임으로 無事할 것이다. 또 상생되는 年月까지 기다리는 것이 제一 上策인 것이다.

甲과 丁의 경우

大事業을 계획하고 있는 사람, 七割정도는 성공적으로 이루어지고 있으나 그 後는 自身의 力量이 特히 財政的으로 힘이 不足하여 苦戰하고 있을 때이다. 손위사람의 도움이 있다. 그러나 그것도 金力이 不足하여 그다지 큰 힘이 되어지지 않는다. 그러므로 어떻게든 혼자 힘으로 밀고나가면 時間은 걸리기는 하더라도 後에는 大成功을 할 수 있다. 이 干의 關係는 현재 조급히 서둘지 말고 마음을 가다듬고 沈着하게 때가 오는 것을 기다리는 것이 成功을 할 수 있는 秘決인 것이다. 그러나 共同사업이나 他人을 의지하는 것은 대단히 凶하다. 注意를 바란다.

女性의 경우에는 主人보다도 性質이 强한 고집스러운 性格의 女性이다. 獨身者는 손위사람의 도움이 있기는 하다. 아직 힘이 弱하여 바라는 일은 半程度밖에 이루지 못한다.

甲과 戊의 경우

運氣가 衰하여 事業에 失敗한 後에 처하여 있는 사람이다. 이제부터 또다시 새로운 일을

해보려고 마음먹고 있는 사람이나 그러나 그것도 어떤 뚜렷한 目的이 세워진 것이 아니고
단지 막연하게 무엇인가 좋은 것은 없나 하고 초조해하는 狀態이다. 그렇기 때문에 막연히
서둘지 말고 우선 한발 뒤로 물러나서 때가 올 것을 기다리는 것이 吉이다. 다투는 일이나
他人과의 相談事는 破하고 또 自身이 生覺하고 있는 일도 達成치 못하고 他人에게서는 嫌
惡를 받는 時期이다. 親하던 사람들도 점점 떨어져가는 눈치이며 따라서 注意하여 自身을
가다듬고 他人에게 拒逆하지 말고 順하게 매사를 받아들이는 것이 重要하다.

甲과 己의 경우

目下 運氣가 下向하고 있는 狀態 每事 모든 것이 生覺대로 되지 않고 隨時로 마음이 혼
들리여 갈피를 잡지 못하는 時期이다. 마음을 크게 먹고 自己自身의 行動에 注意하고 人和
에 힘쓴다면 相生되는 年月에는 幸運을 잡을 수가 있게 된다. 또 急情問題로 亡身을 할 두
려움이 있으니 각별히 注意하여야 할 때이다. 移轉을 할 마음이 생기는 時期이나 막상 이
전을 할려고 노력을 하면 좋은 집도 없고 마음의 안정을 찾지못하니 移轉을 中止하고
마음을 安定시킴이 吉이 된다.

甲과 庚의 경우

過去 좋은 時節에 財産이 있음을 기화로 怠慢의 생활에 젖어버렸던 者이다.
世上살이의 쓴 맛과 고달픔도 모르고 오직 自尊心만 强하고 單純하여 他人에게 속아서

運을 망친 者이다. 손위사람의 도움이 있겠으나 그 쓸모없는 自尊心이 許諾치 않아 마음의 갈등에 헤매이고 있는 때이다. 그러나 모든 거치장스러운 체면이나 위신 즉 자존심이나 허영심같은 것은 집어던지고 몸을 낮추어 他人, 親知 혹은 손위사람에게 원조를 요청한다면 반드시 성공할 수 있는 사람이다. 現在의 장소는 安着하기 어려운 곳이기에 吉方을 찾아서 再出發하는 것이 가장 上策이다.

甲과 辛의 경우

目下 不運과 失意에 빠져들어 進退에 꽉 막힌 때이다. 一家離散의 處地에 놓여 있으면서 도 그것도 決行을 하지 못할 정도의 困難한 時期이다. 더우기 업친데 겹친다는 격으로 시 비구설까지 있음으로 注意하지 않으면 안된다. 心身을 沈着하게 安定시켜 每事에 臨하여 身 心을 가다듬고 때를 기다리면 반드시 개운해진다. 或 서둘러 이것저것을 손을 댄다면 더욱 困難한 立場에 빠져들어 一生 開運될 수 있는 時期가 없어져 버릴 위험이 있다.

甲과 壬의 경우

幸運에게로 向하는 時期이다. 지금은 他人으로부터 도움을 받아 기쁨이 넘치는 마음으로 밀고 나가는 때임으로 마음도 평온하고 安定되어 있는 사람이다. 그러나 단지 도움이 이끌 어주는 정도이지 아직 충분치 못하는 故로 이제부터 徐徐히 運氣가 發展을 向해서 나가는 時期이다. 幸運을 向하고 있고 좋은 여건 좋은 時期이나 사기적인 일은 大端한 危險이 도

사리고 있으니 이 點 特히 注意하지 않으면 안된다.

甲과 癸의 경우

運氣가 이제 막 發展할 入口에 선 時期이다. 大體로 마음속에 긴장미가 없고 침착하지 못하고 단지 조급하고 초조하여 성급하게 앞으로 뻗어나갈 궁리만 生覺하여 오히려 이 좋은 時期 좋은 運期를 놓쳐버릴 위험이 많다. 그렇기 때문에 마음을 가다듬어 安定시키고 한발 한발式 앞으로 밀고나간다면 매사를 성숙시킬 수 있으며 幸運을 잡을 수 있다. 現在는 마음에 틈이 생기어서 男女가 다같이 멋대로의 行動을 할 때임으로 特히 色情問題를 일으키기 쉬운 고로 注意하지 않으면 그로 因하여 아주 後에까지 고생을 받게 된다.

乙과 乙의 경우

只今은 運氣가 약간 주춤하는 시기인데 더우기 마음은 갈팡질팡하고 혼들리고 있으며 또 멋대로의 行動이 몸을 亡칠려하는 時期이다. 마음도 安定이 안되고 딴일 남의 일 등에 마음을 빼앗기어 그 때문에 自己自身의 일에도 틈이 많이 생겨 遊興에만 쏠리고 있는 狀態이다. 그로 因하여 이것저것 失敗를 거듭하면서 그러면서도 精神을 차리지 못하여 信用度를 차츰 잃어가고 있는 때이다.

男性은 色情關係에 빠져 헤어나지를 못하고 女性은 家庭不安을 고생스럽게 또 못마땅하게 生覺하고 있는 狀態로 夫婦離別할 듯도 생긴다. 그러나 極凶은 아님으로 마음가짐만 바로잡는다면 七個月째나 二年後에는 반드시 幸運을 잡을 수 있게 된다.

乙과 甲의 경우

모든 것이 이제까지 보다는 徐徐히 좋아져가고 있는 시기이다. 그러나 이것은 每事가 처음부터 좋와져가는 象임으로 무엇이든 처음부터 조금씩 좋와져가는 것임으로 서둘러서는 절대로 안된다. 壬이나, 癸의 달로부터 눈에 보이게 좋와져가기 때문이다. 그러나 좋와져간 다고 그것을 믿고 욕심스럽게 망동을 한다면 크나 큰 失敗를 면할 길이 없으니 每事에 욕심은 禁物이다. 작은 일부터 차근차근해 가면 크게 성공하게 되기 때문이다.

乙과 丙의 경우

이제까지는 모든 것이 잘 풀려 나왔으나 지금은 약간 운기가 衰한 때이다. 바라는 것이 너무나 많고 지나치게 화려하고 깨끗한 것만을 좋와하며 또 每事를 分에 넘치게 크게만 計劃하여 무엇하나 一定시키지 못하기 때문이다.

그러므로 몸과 마음을 가다듬고 自身의 力量과 能力의 限界에 알맞는 行動과 計劃을 세운다면 곧 運氣는 幸運쪽으로 向하게 된다. 運이 좋게 느껴지며 또 좋은 일도 있겠으나 끝을 맺지 못하는 약점이 있고 또 열키고 破해질 염려가 있다.

乙과 丁의 경우

幸運에게로 向하는 때이다. 現在는 希望하는 일이 있으나 時期를 놓친 感이 있다. 그 원因은 每事에 눈여겨지는 일은 많어 마음이 갈팡질팡 흔들려서 막상 決斷을 내리지 못하기 때문이다. 또 한가지는 自身의 멋대로의 언행과 색정관계 때문이라고도 할 수 있다. 그러므로 흔들리지 말고 무엇 하나를 決定하고 나간다면 壬이나 癸의 달에 이르러서 成功한다.

乙과 戊의 경우

運氣가 衰하였을 때이다. 家庭間에서도 여러가지 어려운 일이 생기며 직업상으로도 얼키고 막히는 일이 생겨 어찌할 바를 몰라 당황하고 있는 것이다. 運氣가 不吉한 時期이므로 어떠한 사업이라도 失敗할 때이며 그러므로 집안일도 돌보지 않고 스스로 자포자기가 되어 무절제한 行動에 빠지게 마련이다.

女性은 男便이나 子息들도 돌보지않고 제멋대로의 行動을 하려고 할 때임으로 이럴 때일수록 마음을 가다듬고 理性을 되찾음에 努力하지 않으면 안된다.

乙과 己의 경우

극심한 凶運의 시기이다. 여러가지로 마음과 눈이 흐려 마음이 초조하고 조급하며 허망한 욕심이 동하여 하던 일을 버리고 아무런 생각과 기획도 없이 새로운 것에 흥미를 가지고 딸려들어 失敗를 하는 때이다. 그것은 自力不足이 原因이기 때문에 知人이나 좋은 원조자를 얻어서 잘 상승한다면 七十日째나 七개월째에는 좋은 方向으로 向해질 수가 있음으로 모든 시비구설이나 관재에 각별한 注意를 해야할 때이다.

乙과 庚의 경우

現在는 平運이다. 그러나 家庭안에 고초가 있기 때문에 移徙 또는 改革을 生覺하고 있을 때이다. 모든 일에 決斷을 짓지 못하는 우유부단함과 이것저것 하는 마음의 흔들림과 초조와 조급함을 注意한다면 그리고 꾸준히 目標를 세워 努力한다면, 相生의 年月에 이르러서는 幸運을 잡게 된다.

乙과 辛의 경우

現在는 不運의 極限에 到達한 때이다. 여러가지로 失敗가 거듭된 時期이므로、마음도 弱하고 勇氣도 꺾이어 마음이 自身도 모르게 蹴하여 安定을 찾지못하고 있어 困難한 때이다. 그 原因은 色情이나 或은 마음의 흔들림에서 생긴 것이다.

一時的으로 避하는 方法이나 手段을 버리고 根本的으로 短點 難點을 고쳐나가야만 되는 것이다. 그렇게 한다면 八十日 後에나 八個月 後부터는 幸運쪽으로 向하게 된다. 또 疾病에 注意하여야만 된다.

乙과 壬의 경우

現在는 交祐神助의 運氣가 싹트는 時期로 이제까지 있었던 모든 애로사항이나 운이 막히든 일도 自然히 풀려 이제부터는 發展할 수 있는 때이다. 他人으로부터 여러가지로 相談이나 권유하는 일이 있겠으나 自己自身의 力量、能力、즉 分數에 맞는 일은 大端히 吉하나, 그러나 지나친 欲望과 分에 넘치는 큰 일은 大端히 危險하니 注意할 것. 就職이나 任官하는 일은 大吉이다.

乙과 癸의 경우

이제부터는 幸運쪽으로 向하는 때가 오는 것이다. 모든 것이 吉이다. 일을 너무 지나치게 조급하게 서둘러서 하거나, 不利할 일도 억지로 밀고 나가는 일만 없으면 吉運이나 조급하게 서둘러서 不利한 것도 억지로 밀고나가면 他人으로부터 生覺지도 않은 災難을 받아 苦痛을 當하는 수가 있다.

丙과 丙의 경우

現在의 運氣가 大端히 나빠서 諸事에 눈과 귀가 흐리고 마음이 흔들려서 그로 因하여 神經質的으로 되어 生覺하지 않아도 좋은 일에도 마음을 쓰는 사서 고생을 하는 일이 많고, 마음의 피로움을 안고 있는 사람이다. 또 지나치게 큰 欲心을 품고 하게 努力을 많이 써서 結果는 功은 없고 오히려 家庭事만 어지럽히여 妻子나 他人에게까지도 弊를 끼치어 주는 結果가 된다.

또 心中에 좋지 않는 일을 꿈꾸어 품고 있는 時期이며 또한 他人을 害치는 때임으로 言

行에 充分히 注意하지 않으면 안된다. 家庭事에 있어서는 夫婦間에 離別事가 생기기 쉬운 때이다. 自省하기 바란다.

丙과 甲의 경우

이제까지는 萬事가 매우 잘 되어오다가 약간의 돌부리에 차여진 것 같이 주춤하였기 때문에 그것을 만회하기 위하여 무엇인가 일 하나를 꾸미고 있는 때이다. 그러나 자신에게는 分에 넘치는 지나친 大望이기에 오히려 惡化되어 禍가 생길 念慮가 크기 때문에 이런 분에 넘치는 大望은 버리고 實力에 알맞는 일에 着手하여 努力한다면 반드시 成功하게 된다.

丙과 乙의 경우

現在는 平運의 時期이다. 이제까지는 실속있게 꽉 짜이게 계획성있게 하지 않고 氣分내키는대로 제멋대로 해왔기 때문에 若干 衰한 氣運이 감도는 것을 自身이 깨닫고, 지금은 야무지게 行動을 하고 있는 때이다.

그러나 도시 게으름과 마음이 자꾸 들뜨고 있기 때문에 行動에 相當한 注意를 기울이지 않으면 失敗가 되기 마련이다. 그러나 게으름과 마음의 동요를 누르고 일에 熱誠을 쏟는다면 相生인고로 幸運을 놓치지 않는다.

丙과 戊의 경우

若干 下向性인 氣運이 감도는 運勢이다. 그 原因은 思慮가 얕기 때문이며, 너무 고집스

러움과 교만스러운 마음이 있기 때문에 他人으로부터 信用이 떨어지게 된다. 平素에 마음에 沈着性이 없고 一定하지 못하기 때문에 他人으로부터 損害를 보는 일이 많다. 注意하여야 할 것은 교만과 薄情한 點이다.

또 他人뿐만 아니라, 妻子에 이르기까지 情이 얇고 자신만을 알기 때문인고로 家庭의 平和를 지키는 데에 努力하지 않으면 좀처럼 幸運에 向하는 것이 늦어진다. 그러나 大略 指定價에 묶여 있는 業種은 吉하다. 例로 들면 煙草판 賣業 印紙郵票 或은 住宅福卷 같은 것.

丙과 丁의 경우

모든 것에 華麗하고 아름답고 깨끗한 것에만 마음이 끌려 精神에 緊張味가 없고, 그로 因하여 運氣가 조금 衰해 가고 있는 때이다. 당사자도 그 點에 느낀 바가 있어 이제부터 改革하여 보려고 하고 있다. 무슨 일이던 야무지게 한다면 相生이기 때문에 幸運으로 되돌릴 수가 있다. 또 他人을 돌보아야 하는 일을 떠 맡아서 苦生하는 일이 있다. 男女 다같이 色情關係의 危難이 있다.

丙과 己의 경우

運氣는 이제 조금씩 내리막길에 접어든 氣味가 있다. 이제까지는, 前後의 갈림길이 每事에 지나치게 밀고 나가서 限界線을 넘어선 感이 있다. 現在는 그 勇氣도 꺾이고 여러가지로 窮理를 하여 改革을 하려 하고 있을 때이다. 또 事業 등을 지나치게 넓히고 키워서 이제는

緊縮을 할려 해도 困難을 느끼고 있는 때이다. 그러므로 낭비를 하지 말고 지나친 허욕은 버리고 일을 進行한다면 幸運으로 向하게 된다. 獨身男性의 경우에는 婚談上의 걱정거리가 있다.

丙과 庚의 경우

不運에 處해 있는 때이다. 움직임이 생기는 때이다. 깊이 生覺하고 分別을 가려야만 하는 點에서 미흡하며 또 씨도 뿌리도 없는 일에 쓸데없이 화를 내고 싸우고 하는 일이 생길 때이다. 移轉이나 移動할려는 마음이 動하나 그런 마음은 하루 速히 安定시키고, 움직이지 않는 것이 吉한 것이다.

또 家庭內에서도 고충이 있다. 女性은 家出을 할려고 하는 마음이 생길 것이니 각별한 注意가 必要하다.

丙과 辛의 경우

現在는 大端히 運이 나쁘고 그 위에 家庭中에도 엎친데 겹친格으로 고충이 있다. 여러가지의 나쁜 일이 생기어 골치가 아퍼 移轉의 뜻이 생길 때이나 참는 것이 吉이다.

또 職業上으로는 좋지 않은 일이 생겨 轉業을 生覺하고 있겠으나, 이것도 역시 참는 것이 吉인 것이다. 舊事를 참고 지켜나가 노라면 三年 後에는 반드시 幸運이 온다.

이것도 버리고 家庭을 등질까 生覺할 것이나 이것도 역시 凶이다. 男女가 다같便이나 子息까지도

이 私慾의 心思가 生길 때임으로 이 點 特別한 注意가 必要하다.

丙과 壬의 경우

運氣가 大端히 나쁘고 困難한 時期이다. 그로因하여 자포자기가 되어 行動은 하여서 오히려 더 나빠져 더우기 시비구설 같은 일도 생기는 때이다. 시비는 自信이 不利함을 알면서도 고집을 부리는 맛이 있는故로 아주 注意하지 않을 것이다. 每事가 밀고나가면 凶하고 한 발 물러나서 때를 기다리면 吉하다. 또 欲心이 强하고 많은 것을 고치지 않으면 안된다.

丙과 癸의 경우

家計에는 困難이 점점 더해가고 가까운 사람에게는 病難이 있고, 業務上으로는 失敗가 있으며, 自己自身도 점차 더 困難해서 나아감도 물러남도 할 수 없는 狀態이다. 그렇기 때문에 어렵다 해도 참고 舊事를 지키고 있는 것이 最上吉이다. 또 男性은 色情上의 難이 있다. 女性과의 離別問題는 헤어짐이 吉이다. 女性의 色情問題는 相對에게 다른 女性이 나타나서 그로 因하여 苦憫하고 있는 때이나 즉 三角관계로 고민하나 여기에서 떠들면 오히려 男性이 떨어져 나가기 때문에 때가 올 때까지 조용히 기다리는 것이 最上의 良策이다.

丁과 丁의 관계

運氣가 大端히 좋지 않을 때이다. 家庭內에서는 不和가 있으며 家宅移轉, 業務變更 等이 있으며 여러가지 面에 이것저것 하고 손을 써보나 生覺하는대로 되는 일은 하나도 없고 共同事業 等은 中途에서 失敗되며 시비, 구설 등이 생길 염려가 많다. 그러기 때문에 어떠한 일이라도 他에 依賴하지 말고 혼자의 힘으로 每事에 點하여 努力한다면 成功할 수가 있다. 男性은 마음이 들떠서 遊興에 빠지기 쉬운 때이며, 女性은 他人에게 속아서 큰 災禍를 입을 危險이 있다.

丁과 甲의 경우

現在는 幸運쪽으로 運氣가 向한 때이다. 그러므로 한 가지 目的을 세워서 앞으로 나아가려고 할 때이다. 반드시 失數가 적은 야무진 것임으로 밀고나가도 좋은 結果를 맺게 된다. 모든 것이 生覺하는대로 되나 分에 넘치는 지나치게 큰 것을 바라고 行하면 오히려 損害를 입게 되니 그 點에 對하여 注意만 한다면 失數가 없다.

丁과 乙의 경우

이제까지는 꾸溫하고 조용하였으나 지금은 약간 마음에 동요와 초조함이 생겨 앞으로 밀고나가려고 하나, 나가지 못하고 크고 단단한 壁에 부딪친 狀態라고 할 수가 있다. 그 原因으로 말한다면 이럴까 저럴까 하고 망설임이 强하고 每事에 果敢한 決斷을 내리지 못하는 심약한 것에 기인하여 생기는 것이다。 타인의 의견 등에 현혹되지 말고 확고한 주관 아래 自己가 生覺하고 計劃한 대로 혼자 힘으로 밀고나가면 반드시 成功할 것이며, 九個月 만에는 幸運을 잡을 수 있게 된다。 商業人은 現在 資本不足이며, 俸給生活人은 現在는 薄俸에 시달릴망정 그런대로 자리를 굳건히 지키노라면 後에 가서 반드시 出世한다。

丁과 丙의 경우

溫和하면서 陰性的인 行動을 하는 사람이나 他人의 권유에 따라서 화려하고 사치스러우며 外形에 치우치는 形式的인 것에 손을 대어 移動을 해보려는 마음이 생긴 때이다。 그러나 이것은 自身의 願하는 바도 아니고 自身의 마음도 아니기 때문에 쓸데없이 움직이지 말고 舊事를 지키고 있노라면 幸運쪽으로 運氣가 돌아갈 것이니 이 點은 각별히 유념하여야 한다。

丁과 戊의 경우

現在의 運氣는 中正도라고 할 수 있다。 그러나 마음 속에서는 딴 것에의 유혹이 生기고, 現在의 것에 염증이 생겨 움직여보려고 할 때이다。 이제까지는 堅實하고 야무지게 해 오던 것이었으나 自慢에서 希望이 커지고 더우기 欲心이 生긴 때문에 無理라는 것을 알면서도 할려고 生覺하고 있으나 마음을 가라앉치고 欲心과 希望을 버리고 이제까지 해 오던 일을 굳게 지키면 大吉하나 移轉 變動을 하게 되면 後의 일은 어떻다고 約束할 수 없는 不幸이

닦친다. 注意를 要한다.

丁과 己의 경우

運氣는 平運이다. 이럴가 저럴가 망서리며 흔들리지 않으면 모든 것이 吉이지만 혼들리는 마음이 강하고 進退를 定하려 할 때이다. 一定한 目的을 세워 앞으로 밀고 나가면 吉이 되는 運이다. 그러나 이 경우는 물러서는 것은 不吉하진다. 마음속에 망서리며 흔들리는 것이 第一 危險한 點이다. 또 色情業係의 고민이나 실패수가 있는 有夫女는 男便과 意見이 不合하여 離別까지도 不辭하겠다는 마음이 있으며 그 進退를 決定을 내리지 못하고 방황하는 때이기도 하다. 子息이 있는 사람은 이별하게 되면 결국은 후회를 하게 되리라.

丁과 庚의 경우

現在는 運氣가 大端히 나빠 모든 것에 실망하고 옴짝달싹도할 수가 없는 時期이다. 그러므로 한발 물러나서 옛것을 지키는 것이 最上의 吉이다.

또 아직도 運氣가 떨어지지 않은 者는 이제부터 衰하기 始作하는 運이다. 夫婦間에도 離別의 意味가 있겠으나 해어지지 못한다. 女性쪽에 缺點이 있는 것으로 한다. 獨身女의 경우는 손위사람과의 意見이 맞지 않어 그로因하여 몸을 망칠 염려가 있다.

丁과 辛의 경우

運氣도 衰하고 人望도 信用도 다 떨어진 때이다. 心中에 계획하고 있는 모든 일도 빗나가 大端히 困窮한 立場에 處해 있는 狀態이다. 外見으로 유화하고 溫和한 듯하나 關心에서는 칼을 품고 호시탐탐 남을 窮地에 몰아넣으려고 하는 그런 일을 즐기기 때문에 점점 더 不運해진다. 이 點을 고치지 않으면 안된다. 二心之象을 버리고 每事에 臨하여 眞心으로 行한다면 四個月後에는 幸運에 달한다. 또 젊은 사람은 異性問題로 亡身하는 일이 있다. 有夫女는 外見上은 유순하고 요조숙녀이며 현모양처이나 內心은 邪智를 품고 있음으로 家庭에 풍파가 일어나고 엉망진창이 된다.

丁과 壬의 경우

現在는 運氣가 大端히 惡運이다. 더우기 사기성이 짙은 行動을 하여 그로因하여 大失敗를 할 때이다. 그러므로 每事에 한발 물러나서 分數를 지키면 無事하겠으나 그렇지 못할 경우는 큰 禍를 입게 된다. 또 義理나 人情에 말려들어 은혜를 원수로 갚는 것 같은 行動을 하기 때문에 失敗가 있다. 故로 되도록이면 올바른 길을 택하도록 하지 않으면 안된다. 男女가 다같이 色情關係의 難이 있을 때이고 後에가서 그로因하여 큰 災禍가 생긴다.

丁과 癸의 경우

不運의 極限點에 놓여 困難한 나머지 惡心이 생기기 쉬운 때임으로 이 點 特히 注意하지

않으면 안될 것이다。 어렵고 험난하고 困難苦痛이 겹친다 해도 舊事를 버리지말고 참고 견
디며 지키노라면 十個月 後부터는 吉運으로 轉換하게 된다。 男女가 다같이 人望과 信用이
떨어진 때임으로 時期를 기다리는 것이 上之上策인 것이다。

戊와 戊의 경우

現在는 運勢가 大端히 좋지 않어 業務變更이나 家宅移轉을 生覺하면서도 이럴가 저럴가
망서림이 생길 때이다。 그外에도 여러가지로 망서리고 흔들리던 끝에 他人과 共同事業같은
것을 하여서 大失敗를 맛보고 있는 때임으로 모름지기 每事에 處하여 沈着하게 行動을 하
여야 할 때에다。

또 自己自身이 계획하고 生覺한대로 무엇하나 되는 일이 없기 때문에 性質이 조급하여져
서 輕擧妄動으로 因하여 뜻하지 않은 災禍를 불러일으킬 때임으로 每事에 沈着하며 그리고
혼자의 힘으로 꾸준히 밀고나가는 것이 成功의 秘法이다。 每事에 分에넘치는 큰 希望을 품
기 마련임으로 되도록이면 작은 일부터 시작하여 차근차근 서서히 해가는 點에 留意하여야
할 것이다。

夫婦間에 離別하고저 하는 마음이 생기나 이點 特히 忍耐로서 꾹 참고 이 時期를 슬기롭
게 넘기는데에 努力하여야 할 것이다。

戊와 甲의 경우

不運한 때에 處하여 進退함에 이럴 수도 저럴 수도 없는 꽉 막힌 狀態에 있다. 그 原因은 時期를 잘 선택하지 못하고 行動하였기 때문에 생긴 불상사인 것이다. 그렇다고 지금 새로운 일에 손을 대서 일을 일으키면 더욱 더 困難한 지경에 빠져들어 어찌할 도리도 없게 되기 때문에、한발 물러나서 관망하며 現在의 狀況을 固守함이 吉이다. 五個月後의 좋은달 부터 行動을 開始하면 좋으리라.

戊와 乙의 경우

諸事가 如意하게 잘 되지 않고 家庭에서도 고충이 생기기 마련이며 더우기 부부간에 이별도 생기며 따라서 매사에 겁을 먹고 勇氣를 잃고 흔들리어 決斷性이 없기 때문에 事件 失敗를 거듭하는 때이다. 이럴 때일수록 여러가지 복잡한 일을 만들지 말고 남을 믿는 것을 삼가하여 사기에 당하지 말고 現在를 꾹 참고 견디어나가 노라면 때가 돌아올 것이다. 오직 때를 기다리는 것만이 上策이다.

戊와 丙의 경우

現在는 大端히 幸運的인 때이다. 그러나 每事가 順調로움에 젖어 每事가 잘 진행될 것이고 무난하지만 앞으로도 順調로우리라는 막연한 生覺만으로 지나치게 큰 일을 계획하고 진행하여 오히려 그로因하여 失敗의 쓴잔을 마시게 되는 일이 많다. 무엇이든 단단하게 굳게 하던 일을 지켜 흔들리지 않는 것이 吉이다. 또 화려하고 사치스러운 일과 실없는 말로서 일을 망칠 우려가 큼으로 注意하여야 하며, 그 때문에 人望도 信用도 잃어버리는 수가 있다.

戊와 丁의 경우

現在는 幸運쪽으로 向하는 때이다. 그러나 그것은 確固히 約束된 것도 아니고 決定된 事實도 아님으로 헛수고와 실없는 기쁨이, 될 可能性도 많다. 때문에 自己스스로가 앞장서서 動하는 것은 凶이다. 오히려 他人이 와서 권유하거나 아니면 時期가 오는 것을 기다리면 좋은 일이 생긴다. 好調之運이나 慾心이 過大함으로 自己스스로 일을 中途에서 망가트리는 일이 많다. 그런點에만 注意한다면 後에 될수록 좋아지게 된다.

戊와 己의 경우

現在는 보통運으로 進展도 下落도 없는 無意味한 보통의 뜻을 가진 時期와 狀態 이제까지 여러가지로 變化도 變動도 많았고 아무 것도 決定하지 못하고 中間치기 상태로 되어서 이래서는 안되겠다고 安定을 찾으려는 時期이다. 그러나 慾心만 많고 義理나 人情 따위는 모르기 때문에 他人으로부터의 信望이 없다. 故로 自身의 行動에 反省하여 注意하지 않으면 좀처럼 幸運을 잡을 수가 없다.

모든 것에서 한발 뒤로 물러나서 行動에 注意하고 있노라면 六個月後에는 自然히 幸運이

온다. 女性은 男便이 흔들리기 때문에 苦生이 많은 때이다. 여기에서 같이 輕擧妄動을 하면 損害일 뿐더러 亡身한다.

戊와 庚의 경우

現在는 平運이다, 그러나 大體로 뒤도 돌아보지 않고 猛進할 때이다. 不平不滿이 많고 지 못한 벗들의 유혹에 빠저서 손위사람들의 忠告나 말에도 귀를 귀우리는 일이 없이 行動 도 또한 빠르지 못하여 異性關係도 支出이 많은 때이다. 이 時點에서 改心치 않으면 不運 하게 됨으로 注意하지 않으면 아니된다. 마음을 가다듬고 올바른 行動을 한다면 七十日後 에는 幸運이 돌아온다.

젊은 女性은 쓸데없이 男性에 현혹되어서 家出等을할 때 염으로 充分히 注意하지 않으면 안될 것이다. 또 老人의 女性은 男便이나 子息과 헤여저 他人의 신세를 지고 있을 때도 잠 시동안은 不運의 때이다.

戊와 辛의 경우

現在까지는 每事가 順調롭게 무난하였으나 이제부터는 약간 내리막 길에 접어든 때이라 하겠다. 이제까지 그러나 지나친 큰 希望을 갖고 있으면서도 무엇하나 이루어놓은 것이 없 고 全部 失敗로 끝을 맺어 이제서야 겨우 작으만하게 전환시킨 때이냐. 도저히 성질이 화 를 잘내는 성질이고 조급하여 경솔하기 때문에 매사에 잘 이루어지지 않고 지금이 善惡間

의 갈림길에 서 있는 상태이다. 그렇기 때문에 모든 면에서 자기중심적인 멋대로의 行動을 삼가하고 舊事를 구준히 지키고 있으면 곧 幸運이 찾아와 준다. 女性은 모든 面에서 고충이 많은 때인고로 참고 때를 기다리는 것이 최선의 방법인 것이다.

戊와 壬의 경우

現在는 大端히 不運에 처해 있는 때이다. 그러나 그런 點을 아직 깨닫지 못하고 自身의 能力을 過信한 나머지 大望을 품고 앞으로 믿고 나가려 하나 그것도 잘 되지 않으며 他人과 共同으로 일을 꾸미나 그것 역시 이루어지지 않는 때이다.

그러므로 한발 뒤로 물러나서 時期를 기다리는 것이 第一이다. 心中에 怒氣를 갖기 쉬운故로 남과 시비구설을 일으키기 쉬우나 싸움을 벌리면 自身에게 매사가 不利해짐으로 매우 注意하지 않으면 아니된다.

戊와 癸의 경우

現在는 運氣가 내리막 길에 놓여 있는 상태이다. 자만과 고집이 강하여 前後의 事情을 가리지 않고 밀고나가기 때문에 모든 것이 중도에 깨지고 만다. 現在의 걱정거리는 分別없이 지나쳐서 失敗하여 당황하고 갈피를 잡지 못하는 상태임으로, 새로히 정세를 가다듬고 계획성있게 해나가면 곧 成功한다. 男性이나 女性이나 다같이 色情의 難이 있기 쉽다.

己와 己의 경우

現在는 不運이 닥쳐 있는 때이다. 住居문제로 고민이 있고 家庭間의 問題에도 고민이 있는 때로 한다. 이것은 일이 크게 進行되어 貫徹될 듯한 氣運이 있으나 時代的으로 利得을 얻지 못하고 있기 때문에 괴로워하며 손위사람이 失敗가 있을 때이다. 그러므로 초조하게 서둘러 일을 이루울려고 손위사람이나 親한 사람들의 意見에도 귀를 기우리지 않고 맹목적으로 前進하는 바람에 失敗를 하게 된다.

이러한 시기에는 모든 것을 마음을 가다듬고 손위사람이나 親知들에게 相議하며 한발 물러나서 分數를 지키는 것이 上策인 것이다. 女性은 家出할까하는 마음이 동할 때이나 家出하면 大凶이 된다.

己와 甲의 경우

지금은 下運의 時期이다. 모든 것이 如意하게 되지 않고 막히여 窮地에 몰린 狀態이다. 그러나 손위사람의 추천이 있으나 그것 역시 마음에 安定을 찾지못하고 갈팡질팡하기 때문에 그것 역시 이루어지지 않으며 점차 信用과 人望이 떨어져나가는 狀態이나 그렇다고해서 모든 사람들에게서 눈밖에 나서 버림받은 것이 아니므로 他人의 忠告나 말에 귀를 기우리고 순응한다면 멀지않아 좋와진다. 自己 멋대로의 生覺과 行動을 해서는 않된다. 작은 일이라도 소홀히 하지 말고 굳게 지켜나감이 第一 좋은 方法이다.

男女가 다같이 멋대로의 行動을 하기쉽기 때문에 注意하지 않으면 안된다. 이 時點에서 넘어지면 平生의 運을 망치는 일이 되기 쉽다. 夫婦間의 問題도 深刻하다. 주의하기 바란다.

己와 乙의 경우

運勢는 내리막길에 처해 있다. 그로 因하여 家宅移轉이나 業務變更等을 生覺을 하게 되는 때이나 이것도 잘 풀리지 않고 勞苦가 많은 때이다. 그 原因은 主觀이 弱하여 마음이 흔들리고 氣分의 變化가 甚한 까닭에 失敗하게 되는 것이다. 그러므로 마음을 안정시키고 혼자힘으로 일을 進行하도록 하면 서서히 운이 풀려나간다.

女性은 男便으로 因한 고충이 심하겠으나 헤여지면 大端히 凶하게 된다.

己와 丙의 경우

現在는 運이 매우 좋을 때이다. 따라서 恩人이 생겨 그 사람의 추천과 원조를 받을 때이나 단 것에 눈쓸리고 마음흔들리지 말고 앞으로 밀고나가야 할 때이다. 商人이라면 資本家를 얻을 때이며、職場人이라면 上司의 도움이 있다. 이 사람은 좋은 사람이기 때문에 힘차게 일을 추진하여야 한다. 그러나 어련 경우에 한번 멋지고 크게 해본다는 마음을 일으키거나 사기성이 있는 일에 착수하고 싶을 것이나 이 點을 特別히 注意하여 이 機會를 놓치지 말고 착실하고 알찬 일에 매진하도록 힘씀이 幸運을 놓치지 않는 비결인 것이다.

己와 丁의 경우

現在는 運氣가 上昇氣味로 발전단계이나 마음에 안정성이 없고 갈팡질팡 흔들림이 강하기 때문에 좋은 時期를 놓칠 염려가 많다. 그러므로 이 點을 注意하여 멋대로 처세하는 일과 每事에 겁을 많은 點을 버리고 勇氣를 갖고 他人의 말을 잘 들어가며 行動을 한다면 머지않아 吉運에 到達하게 된다. 俸給生活을 하는 者는 現在 上司의 도움이나 추천 등을 받을 때이다. 獨身者는 現在 修業中인 것으로 한다.

己와 戊의 경우

現在는 運氣가 中間程度에 位置하고 있는 狀態이다. 只今 한가지 目的을 세워 進行하고 저 하고 있겠으나 注意하지 않으면 中途에서 실패할 염려가 있다. 그것은 色情관계와 겁이 많은 小心한 까닭에 생기는 일일 것임으로 마음을 安定시키고 色情關係같은 것에 한눈팔지말고 쓸데 없는 일에 흔들리지 말고 착착 熱心히 進行하여감이 秘訣이다. 그러면 곧 머지않아서 吉運을 맞게 된다.

己와 庚의 경우

現在는 運勢가 나쁘고 점차 내리막길에 놓여 있는 경향이다. 여러가지에 눈이 쏠리고 마음의 흔들림이 많어 또 資金不足으로 苦生이 이만저만이 아닌 때이다. 그런 연고로 舊事를 지키며 굳고 야무지게 마음을 가다듬고 努力한다면 二個月 後에는 吉運을 잡을 수가 있다.

男女가 다같이 色情問題를 일으키기 쉽다. 要 注意하라.

己와 辛의 경우

現在는 運勢가 쇠약되어 가는 氣味가 보일 때이다. 여러가지로 마음이 흔들리고 망서리기 때문에 점점 더 나뻐지고 있으니 마음을 안정시키고 허황한 것에 마음을 빼앗기지 말고 時期를 기다리는 것이 현명한 처사이다. 俸給生活者는 勤務處를 바꾸어보고 싶은 마음이 동할 때이니 變職을 하면 오히려 損害가 된다. 獨身者는 現在 두 마음의 갈등에서 헤여나지 못하고 이럴까 저럴까 흔들리며 決定을 짓지 못하고 있는 상태이다. 速히 마음의 평정을 찾고 한 가지를 決定하는 것이 利得이 되는 것이다.

己와 壬의 경우

現在는 運勢가 몹시도 나뻐서 運勢와 家計上으로도 困難할 때이다. 그로因하여 여러가지로 고민을 하고 결국에는 職業 변경이나 家宅이전 등을 生覺하게 되는 時期이나 아직은 때가 좋은 시기가 아니여서 時期尚早인 것이다. 또 對外간에 신용도 떨어졌을 때이다. 그럼으로 舊事를 고통스럽다 해도 참고 견디어 군건히 지키며 시기를 기다리는 것이다. 男性은 多情多感하여져서 쓸데없이 情에 빠지기 쉽고 女性은 因緣이 變更되는 뜻이 있다. 또 男便과 子息을 버리고 딴데로 갈 뜻을 가지나 그것은 大端한 凶運을 招來한다.

己와 癸의 경우

最惡의 運勢에 處해 있는 상태인 시기이다. 一家離散의 困難時라고도 할 수가 있다. 그 것은 自己멋대로의 行動 때문에 人望을 잃고 信用도 떨어트린 結果이다. 그러므로 自身의 缺點을 하루속히 시정하고 예를 지키며 새마음 새뜻으로 새출발을 한다면 머지않어 잃었던 人望도 떨어진 信用도 다시 복구할 수가 있다.

또 交涉하는 일은 自身이 꾸미고 自己自身이 失敗를 하게 될 때이다. 現在는 苦痛이 大端히 많을 때임으로 매사에 근신하여야 할 때이다.

庚과 庚의 경우

지금은 가장 子運의 시기에 처해 있는 때이다. 佳所나 佳居, 또 妻子와도 헤여져 한가지 目的을 爲하여 行動을 開始하려 할 때이다. 그러나 運氣가 떨어진 상태임으로 行動을 開始할 수도 없고 開始한다 해도 結果는 失敗로 돌아가게 된다.

色難、病難、災難等이 있으며 그 위에 失敗한 結果 自身의 몸 하나도 둘 곳이 없고 前進할 수도 물러날 수도 없는 그야말로 進退兩難의 아주 꽉 막히여 버린 狀態이다. 그러므로 모든 것을 버리고 미련도 갖지 말고 마음을 가다듬어 안정시키고 초조함도 버리고 아주 작은 일부터 혼자 힘으로 꾸준히 努力한다면 금후 二個月가량 뒤부터는 吉運의 女神이 미소를 던지게 될 것이다. 特히 色情問題에는 노—코멘트.

庚과 甲의 경우

下運의 시기이다. 自身의 힘 모자라는 것을 깨닫지 못하고 他人의 吉運이나 幸福을 시기하고 원망하며 分數에 넘치는 大望을 품고 일을 하다 失敗하는 상태이다. 또 손위사람과의 충돌시비도 있다. 自身이 生覺한 것을 獨力으로 他人에 依賴하지 않고 推進하려 하나 이것은 成功하기 어려운 것으로 한다. 他의 힘을 빌거나 自己自身의 能力과 分數에 맞는 計劃을 세워서 다시 새출발하여야 한다. 젊은 女性은 家庭不和로 因하여 고충을 받고 있을 때이다.

庚과 乙의 경우

下運의 시기에 놓여 있는 때이다. 家庭을 버리고 움직여볼까 하는 마음이 動할 때이다. 더우기 마음도 一定치 않고 마음이 자꾸 變動을 하여 흔들리고 망서림만 많을 뿐 무엇하나 도 整理되지 못하는 일만 많다. 그러므로 現在로서는 새로운 希望事는 일단 접어두고 舊事를 굳게 지켜나가는 것이 吉한 것이다. 男女가 다같이 깊은 色情關係로 因하여 몸을 亡치고 家庭을 잃는 두려움이 많다.

庚과 丙의 경우

不運한 때에 놓여 있다. 上司나 部下同僚 등 모든 周圍에서 人望이나 信用度가 떨어져 고충이 많은 때이다. 故로 겉치레 卽 外見을 장식하거나 너무 지나친 華麗한 일들을 삼가

하고 獨單的으로 실속있게 努力하면 三個月後에서부터는 좋아진다. 女性은 家庭內에서 언짢고 복잡한 일들이 많이 생겨 고충은 받고 있는 中이다.

不運이 겹처 있는 때이다. 그러므로 여러가지로 갈피를 잡지 못하고 망서리며 마음은 조급하여 무엇인가 改革해 볼려는 계획을 세울 때이나 運氣가 나쁜 때에는 아무것도 새로운 것에는 착수하지 말고 舊事를 꾸준히 지킬 때가 올 때를 조용히 기다리는 것이 上策이다.

現在는 周圍로부터의 信用이나 人望도 떨어져서 마음이 자포자기가 되기 쉬운 때임으로 이 點을 充分히 주의하지 않으면 아니될 것이다. 또 제멋대로의 마음가짐을 꾹 누르지 않으면 夫婦間에도 여러가지로 복잡한 일이 생기기 쉬운 시기임으로 서로가 협력하며 허심탄회하게 마음을 털어놓와 合意點을 찾는 等 努力과 근신을 하지 않으면 안될 것이다. 獨身男性은 쓸메없는 女性 即 遊興業에 從事하는 女性等에 걸려들어서 散財하는 일이 많어진다. 家庭主婦는 男便보다도 性質이 强하며 事事件件 意見不合等으로 家庭不和를 이르키고 그 때문에 離別을 生覺할 때임으로 每事에 인내에 努力하는 슬기를 찾어야만 凶한 離別等을 免할 수 있다.

庚과 丁의 경우

庚과 戊의 경우

幸運쪽으로 向하는 때이다. 그러나 主觀性이 一定하지 못하여 갈팡질팡 마음이 흔들리고 이럴가 저럴가 망서리는 마음이 禍가 되어 每事에 變動이 심하여 일이 중간에서 망가지는 경우가 허다하게 많다.

모든 面에서 他人에 對하여 誠心誠意를 다하며 경망스러운 행동을 삼가하여 굳고 야무지게 행동을 한다면 곧 幸運을 잡을 수가 있다. 現在 家庭안에도 고충이 있으며 다정다감함을 조심할 것이며 몸을 움지기는 것을 귀찮게 생각하여서는 안된다. 또 큰 希望은 아직은 시기상조임으로 때를 더 기다려야지 지금은 진행한다면 大端히 큰 악운을 만난다.

庚과 己의 경우

現在는 運勢가 上昇하려는 때에 있다. 그러나 自己혼자만의 生覺이나 獨斷的인 行動으로 일을 추진하는 것은 凶運을 초래하며 오히려 運氣가 좋은 때임으로 相對方에서 推進해오는 것을 기다리는 것이 利得이 있다. 家庭內의 문제에서는 和合이 잘 이루어저있고 對人관계도 매사가 순조로우나 모든 것들이 평탄하기 때문에 약간 멋대로의 행동을 하기 쉬운 때문에 주의를 要한다. 俸給生活을 하는 사람은 移動을 生覺하게 되는 때이나. 옴기는 것은 凶이다. 단 自身이 먼저 서두른 것이 아니고 相對편에서 제의나 권유해 온 것은 吉이다.

庚과 辛의 경우

運勢가 약간 衰해가는 때에 처해 있다. 이럴가 저럴가 망설임이 많고 모든 일에 새로히 改革으로 生覺을 하게 될 때이다. 그러나 아직은 그럴 정도의 좋은 운이 아니다. 戊나 己

의 年月에 行動을 開始할 것.

大體로는 평탄한 때임으로 마음이 해이해져서 곧잘 옆길로 접어들기 쉬워서 그때문에 對人關係나 道義에서 벗어나기 쉽다. 마음과 몸을 가다듬고 근신하여 過히 他人의 꼬임에 빠지지 않도록 注意만 한다면 꼭 成功하게 된다. 現在 女性關係의 危難이 있다고 본다.

庚과 壬의 경우

現在는 평탄한 運勢인 때이다. 큰 目的을 가지고 있으나 資本不足과 더우기 계획상의 生覺不足한 點도 있기 때문에 억지로 行動을 開始하고 밀고나가면 큰 失敗의 쓴 잔을 마시게 된다. 그러므로 現在는 外見보다도 內實을 期하고 굳게 다지면서 좋은 時期를 기다리는 것이 上策인 것이다.

男女가 다같이 多情多感하여 그 때문에 運勢를 망치는 일이 生기기 쉬움으로 이 點 特別히 注意하지 않으면 아니될 것이다. 女性은 매사에 怠慢해지는 일이 많다. 이 天干의 관계는 한번은 좋와지나 상당한 注意를 기우리지 않으면 不運에 빠지는 듯을 품고 있는 關係이다.

庚과 癸의 경우

運氣가 약간 衰해가는 증조를 보이기 시작하는 때이다. 이제까지 여러가지面으로 갈팡 팡 망설리고 흔들리던 끝에 結局에 가서는 무엇인가 하나를 이르켜 볼려고 몰부림치나, 그

것 역시 생각한대로 되지 않기 때문에 他人과 같이 일을 꾸며놓고 이제는 시비나 구설을 만들어 이르킬려고 할 때이다. 그러나 그렇한 것만 注意하고 人和와、 協同에 努力하고 마음을 일에만 안정시킨다면 곧 幸運을 잡을 수가 있다.

辛과 辛의 경우

現在는 운수가 大端히 惡化되어 生家가 主家나 勤務處等을 떠나거나 또는 業務變更을 할 가하는 마음이 生길 때이다. 그러나 어느 하나라도 變更이나 改革하는 것은 大端히 나쁘다. 또 身分에 맞지 않는 分數에 넘치는 大望을 품기 쉬운 때로 그 點이 失敗의 原因이 되기 쉬운고로 大望을 버리고 小事부터 서서히 차근차근히 行動을 開始하는 것이 가장 현명한 處事이다.

現在는 세 가지 生覺을 갖고 여러가지 궁리를 하고 있으나、 自己自身이 判斷하여 그 中 가장 안전하고 유리한 것 하나를 決定하고 然後에는 他人의 말에 현혹되지 말고 오직 獨力으로 밀고나가는 것이 第一 좋은 方法이다.

또 金錢上의 다툼이나 구설이 있겠으나 한발 물러나서 시비를 피하고、 지키는 것이 가장 上策이다. 또 色情에 빠져서 허덕이기 쉬우니 注意를 하여야 한다. 子息의 일 때문에도 고충이 있다.

辛과 甲의 경우

지금은 運이 大端히 나뻐 그로因해 허덕이다가, 복구하려는 초조한 마음이 強하게 움지겨 새로운 일을 할려고 하고 있으나, 그 때문에 점점 더 깊은 구렁속에 딸려들어가는 感이 있다. 그러므로 現在는 한발 물러나서 냉철하게 사태를 파악 관찰하면서 自己自身을 굳게 지키는 것이 上等이다. 또 손위사람과의 意見충돌이나 다툼같은 것을 삼가하지 않으면 아니된다. 或 그 點을 삼가하지 않고 일을 망치면 平生을 망치는 한이 될 위험성이 많다. 家庭內에도 여러가지로 복잡다단한 일들이 생기기 쉬우나 그것은 長幼의 順은 잊어버리고 각자가 망동을 하기 때문이다.

辛과 乙의 경우

現在는 下運을 헤매이는 때이다. 이제까지 애를 쓰고 고생한 보람도 없이 일은 成功하지 못하고 단지 空想에만 치우치고 現實을 도외시한 이상적인 행동만 하기 때문에 現實과 부합되지 않어서 周圍사람들로부터 人望과 信用을 잃게되는 結果가 되어버린 것이다. 他人을 利用할려고 하다가 오히려 利用을 當하는 結果가 되기 때문에 아직은 떼가 나에게 利롭지 못하니 좀더 근신하고 떼를 기다리는 것이 좋다. 또 夫婦間에서는 難別할려는 마음이 動하나 이것은 서로가 제멋대로의 행동들을 하기 때문인 것이다.

辛과 丙의 경우

지금은 아주 不運한 때이다。 그로因하여 移動이 生길 때이다。 또 分數에 맞지 않는 大望과 慾心이 있어 小資本으로서 큰 利益을 얻으려고 하나 밀면 밀수록 나가면 나갈수록 不運의 함정에 빠져들어가는 狀態이다。

俸給生活者는 自身의 能力이나 힘이 不足함을 깨닫지 못하고, 자꾸 위만 바라보기 때문에 上司로부터 미움을 받는 일이 많으며 동료들로부터도 소외당하는 일이 많다。 그러므로 身分과 能力에 알맞는 即 分數를 알고 한발 물러나서 現狀을 着實히 지키는 것이 上吉이다 夫婦間에도 不和가 있으나 相互間에 사랑과 믿음이 결핍되고 위하는 마음이 작고 각기 멋대로이고 사랑이나。 믿음이 부족하기 때문인고로 相當한 注意와 근신이 필요한 것이다. 젊은 사람은 걸어서는 안되는 不運의 길에서 헤메이는 때이기도 하다。 심각하게 生覺하고 易學大家에게 감정도 받기 바란다。

辛과 丁의 경우

지금은 下運의 時期에 접어들어 있다。 自己自身에게 運이 없는 때임을 모르고 외見만 장식하고 걷치레에만 치우치고 큰소리、허풍만 떨어놓기 때문에 사람들에게서 人望과 信用을 잃고 있는 때이다。 또 하고 있는 일을 뜯어고치려는 마음이 생기고 있으나 現在는 大端히 나쁜 때임으로 좋은 時期가 올 때까지 기다리는 것이다。 마음을 안정시키고、 근신하고 있노라면 四個月後에는 幸運이 찾어온다. 現在는 疾病으로 인한 고충이나 家庭內에서의 不和 때문에 마음이 傷해 있을 때이다.

外見은 溫和하고 柔順하게 보이나 마음속에는 邪心이 꿈틀대어 그런 生覺을 간직한채 行動하기 때문에 大體로 하고 있는 일이 망가지기 쉬운 時期이다. 그렇기 때문에 매사에 있어 친절과 성심으로 임한다면 成功도 할 수 있는 秘訣인 것이다. 또 因像이 바꾸어지기 쉬운 것을 暗示하기도 한다.

辛과 戊의 경우

現在는 幸運쪽으로 向하기 始作한 때이다. 그러나 有性的인 邪心的인 生覺과 固執스럽고 교만한 性格이 禍가 되어 人望과 信用을 잃고 있다. 그러나 幸運이 깃들기 시작한 때임으로 他人으로부터의 원조나 후원, 권유 등이 있는故로 교만하고 자기이외는 사람이 없는 것 같은 성품을 버리고 진실한 마음을 갖는다면 順調롭게 일이 진행된다. 業務上으로도 서서히 발전되여 성공이 되는 때이다. 女性은 自慢과 고집을 부리기 때문에 일이 망가지고 엉뚱한 화가 生기기 쉽다.

辛과 己의 경우

現在는 幸運이 와 닿은 時期이나 갈팡질팡하고 흔들리고 망서림과 헛된 장담, 거짓말 때문에 손해를 보는 일이 많다. 人情味가 얇고 外見을 차리고 겉치레에 치우치고 利益만을 너무지나치게 쫓다 보니 오히려 損害를 보게 되는 것이다. 이런 경우는 女性을 상대로 상의하는 것도 하나의 방법으로 뜻밖에 도움을 받아 成功한다. 또 自己分數에 맞지않는 분수에 넘치는 大望을 가지거나 이것은 時期를 잘 기다려서 좋은 운이 닥친 年月에 新規始作하면 꼭 成功한다. 또 副業을 갖일거나 되도록 뜻이 있으나 작은 것을 택하는 것이 좋은 운이 닥치는 것은 (四柱秘典을 참고하여) 大運이냐. 吉運이 될 때를 말한다.

辛과 庚의 경우

現在는 運勢는 平運이다. 이제까지는 모든 것이 굳어 있었으나 이제는 그것들이 풀려갈 때이다. 그러나 아직 一定하게 確固한 生覺이 없기 때문에 失敗하기 쉬운 運勢이기도 하다. 그 위에 家庭內에도 고충이 있어, 흔들리고 있는 狀態이나 참고 견디며 밀고 나가면 가까운 時日內에 解決될 수가 있다. 男性은 女性문제로 골치거리가 생기기 마련인 때이다. 家庭有婦女는 離別할 生覺을 갖일 때, 獨身女는 쓸데 없는 異性에 현혹되어 갈피를 못잡을 때이다.

辛과 壬의 경우

現在의 운세는 평운으로서 이제까지 여러가지로 갈피를 잡지 못하고, 망서리다가 이제서야 겨우 목적한 일에 계획을 세워 밀고나가려할 때이다. 약간 힘이 딸리기 때문에 너무 큰 것은 成功하기 어려우나 分數와 能力에 맞는 일이라면 大體로 成功하게 된다. 또 反面에 쓸데없는 固執을 세우고 義理나 人情에 얼키어 損害를 보는 수가 있다. 其外에도 自己 스스로 먼저 시비구설 등을 만들어 爭事를 이르키기 쉬우니 注意를 要한다. 그렇지 않으면 人望과 信用 등이 下落되어 일을 망치기 쉽다.

辛과 癸의 경우

現在는 운기가 평운이나 每事에 있어서 爭事를 만들어 관재송사를 이르키기 쉽고 또한 가지 目的을 達成하려고 努力하고 있을 때이기도 하다. 大體로는 順調롭게 每事가 進行되고 있으나 앞으로 도중에서 障害가 생겨 실패되기 쉬운 운이기 때문에 相當한 注意를 기우리지 않으면 안된다.

共同事業을 계획하고 있으나 이것은 오히려 第三者에 幣를 끼치는 結果가 되는 운이므로 무엇이던 혼자의 힘으로 일을 추진해 나가는 것이 最上의 方法인 것이다. 그러면 最後에 가서는 좋은 結果를 얻을 수가 있다.

女性은 男性과 헤여지는 것이 좋은 結果를 갖어다준다. 但 正式結婚한 夫婦라면 別居하면 않된다. 一時的 愛心에 限한다.

壬과 壬의 경우

現在는 運氣가 大端히 좋지않어 周圍의 信用과 人望을 상실하여 每事가 生覺한것 같이 일이 풀리지 않아 고통스러운 때이다. 그러므로 舊事를 굳게 지키며 他에 依持하지 말고 혼자 힘으로만 努力하고 밀고나가면 머지 않어 幸運을 잡을 수가 있다. 그러나 여러가지로 마음의 安定을 갖지 못하고 갈팡질팡하고 갈피를 잡지 못하기 때문에 第一 急先務는 우선 精神的인 安定을 한시바삐 찾고 꾸준히 舊事에만 努力하여야 할 것이다.

壬과 甲의 경우

現在의 運氣는 平이다. 이제까지 여러가지 일에 손을 대어 보았어도 過히 잘되지 않었으나 現在 이 時點에 와서 비로서 適當한 일은 잡고 順調롭게 되어가는 때이다. 그러나 손위 사람이나 相對方等을 두려워하는 마음이 있어 항상 勇氣를 잃고 뒤로 쳐지는 맛이 있어 좋은 成果를 期待하기 어려우니 現在 運氣가 도와주고 있으니 두려워만 말고 마음을 강하게 하고 勇氣를 내어 소신대로 밀고 나가는 것이 第一이다. 要컨데 뒤로 물러서면서 지키려 하는 것보다 한발 앞으로 미는 것이 좋다. 結局 後退는 凶하고 積極的이면 大吉이다.

壬과 乙의 경우

現在의 運勢는 平運이다. 每事에 있어 남의 일을 거들어 준다던가, 돌보아 주다가 오히려 自身이 損害를 입는 때이다. 약간 運이 下落한 기미가 보이는 때임으로 새로운 일을 시작하거나 딴 것에 손을 대면 失敗를 免할 길이 없으나 하고 있는 일을 꾸준히 지키면서 고 나가면 七個月 後부터는 幸運이 온다. 男性은 情事問題로 家産을 蕩盡할 우려가 있으며, 男女가 다같이 色情面에서는 相當한 注意와 근신이 필요하다.

壬과 丙의 경우

現在는 運氣가 平運이다. 자기운 세를 믿고 내친 김에 앞도 뒤도 가리지 않고, 폭 넓고 크게 일을 확대하여서 이제는 약간 수습하기가 힘들게 된 狀態이다. 또 약간 크고 화려하게 外見을 꾸밀려고 하나 實質的으로 關心은 小心한 까닭에 中途에서 일에 失敗가 생기기 쉽다. 또 사람들로부터 쓸데없는 끄임에 말려들어서 그들의 입방아에 놀아나게 될 때이기도 하다.

女性은 이제까지의 인연을 버리고 새로운 인연을 찾어 좋은 남자를 求할려고 하고 있으니 이 點 大端히 不吉한 것이다. 男女가 모두 다같이 獨身者는 바람끼가 많은 자들이다.

壬과 丁의 경우

지금 현재는 運勢가 내리막 길에 접어들어 있다. 마음이 안정하지 못하고 흔들려서 業務 變更이나 家宅이전 등을 생각할 때이다. 그러나 직업이나 가택이나 간에 이전 변경을 하면 오히려 凶하여 실패하게 된다. 또 色情問題로 分別없는 행동을 하기 쉬우니 이點 깊이깊이 생각하여 주의를 하지 않으면 안될 것이다. 쓸데없는 일로 하여 소송사건을 이르킬 수도 있다. 一家 이별 또는 파산, 부부 이별의 뜻도 있다.

壬과 戊의 경우

지금은 不運의 때에 놓여 있는 시기이다. 困難한 일이 많어 그것으로 말미암아 시달리는 바람에 마음에 평온을 잃고 흔들림이 생겨 한 가지에 집중하지 못하고 한눈을 팔다가 오히려 도리킬 수 없는 손해를 당하는 일이 있음으로 시기가 올 때까지 기다리는 것이 최선의 방법이다.

人望은 있으나 時期가 나에게 不利하기 때문에 좋은 即 상생되는 年月까지 기다리는 것이다.

壬과 己의 경우

現在 運氣가 나빠져가고 있는 때이나、當事者는 그것도 모르고 큰 希望과 野望에 가득차서 大事를 계획하려고 하는 時期이나。注意를 하지 않으면 안된다. 或 敢히 運을 거역하고 强行한다면 運氣를 그르쳐서 名譽나 財物의 損傷을 가져오게 된다. 外面上으로는 豪快하고 멋지게 보여도 마음 속에는 心弱하고 근심이 가득차서 갈길을 모를 정도로 안정하지 못하여 흔들리고 있는 때이므로 남에게 속기 쉽고 後에 가서는 大團히 困難한 立場이 된다.

夫婦間에는 고충이 생기기 쉽고 또는 分失、盜難의 뜻이 있다.

壬과 庚의 경우

現在는 幸運의 女神이 미소짓고 있는 때이다. 이제부터 서서히 모든 것이 좋와져가고 있는 運이、吉로 서서히 발전하는 時期로 人望도 있고、交際도 넓고 하여 大望을 품을 때이기는 하나 굳고 야무지게 每事에 努力하면 모든 것이 成就될 수가 있다. 外面上으로는 아무릇 결점이나 약점은 없이 좋게 보이나 內面으로는 아직도 많은 고충이, 남아 있는 故로 注意하지 않으면 안된다. 지금부터 긴축정책과 계획성 있게 하여 기반을 다져 놓으면 平生 困難할 일이 없었다. 젊은 女性은 運이 좋은 것에 도취되어 分別없이 自由분방한 行動을 할 때이나 注意하지 않으면 나중에 후회하게 된다. 老婦人은 別居할 마음이 굳어져 가고 있는 때문이다.

壬과 辛의 경우

現在는 運氣가 大端히 旺盛한 때이다. 그러나 現在의 旺盛한 運勢만을 믿고 每事에 좀 지나친 행동이 아닌가 하는 기미가 있는 故로 自身이 지나치게 過慾으로 밀고나가지 말고 現在를 지키는 것이 上策이다. 또 남의 일을 돌보아주다가 그것이 如意치 않게 되기 때문에 損財를 하게 되는 일이 생김으로 注意를 要한다.

情事問題에도 相當히 注意를 하지 않으면 큰 妄身과 口舌, 損財 등을 당하게 된다.

壬과 癸의 경우

運氣가 現在는 약간 衰退하기 시작된 때이다. 그럼에도 불구하고 外見을 장식하고, 화려하게 꾸미고 행동하기 때문에 점점 고충이 더해감으로 지나치게 밀고나가지 말고 現狀만을 오직 지키는데에 전념하여야만 할 것이다. 오래 묵은 일들은 조금씩 고쳐가면서 서서히 나가면 幸運에 도달하게 된다.

癸와 癸의 경우

運勢가 現在는 大端히 나빠서 財數도 없지만 여러가지로 마음에 동요가 생겨서 일을 變更할가 하고 生覺할 때이다. 이제까지는 業務도 너무 성질이 조급하고 경솔하였기 때문에 失敗하는 일이 많었으나, 너무 지나치게 突進한 때문이다. 그러므로 우선 確固한 自己의 生覺을 整理하고 뚜렸한 目的을 세워 서서히 준비를 해가면서 때를 기다리는 것이 가장 바람직한 방법이다.

癸와 甲의 경우

運勢는 現在 中運이다. 지금은 어느 目的 하나를 完遂할려고 努力하고 있으나 많은 障害와 不吉한 운명이 가로놓여서 앞으로 밀고나갈 수가 없게 된 때이다. 그러나 運勢가 좋기 때문에 너무 초조하게 서둘지 말고 차근차근 한 발씩 밀고나가면 貴人의 도움이 생겨, 무난히 고비를 넘기고 成功에 到達할 수가 있다. 좀 약간 외골수인 氣質과 남에게 뒤지기 싫어하는 강인한 點이 일에 있어서 失敗를 發生하기 쉽다. 무엇이든 間에 爭事가 생기기 쉬운 때이므로 이 점 이해하고 自身만 참고 견디어 시비구설을 피한다면 점점 운세가 吉로 변동되어 반대로 吉運이 돌아온다. 即 지는 것이 이기는 것이라는 格言과 같이 생각하라.

癸와 乙의 경우

이제까지는 運勢가 旺盛하여 幸運에 處해 있었으나 마음의 동요와 걱정거리를 사서 받드는 일이 많고, 그 위에 他人을 깔보는 버릇이 강하기 때문에 人望을 상실한 結果를 초래한 시기이다. 現在 어느 한 目的이 있으나, 資金이 不足하기 때문에 소망을 이루기가 어렵다. 그러나 大事는 中止하고 小事는 마음의 동요, 大事에의 유혹 등을 버리고 마음을 안정시켜서 着實히 밀고 나가면 반드시 成功하게 된다. 色情關係로 危難이 있으니 깊은 注意를 要한다.

癸와 丙의 경우

運勢도 現在는 大端히 凶하고 家庭 안에서도 엉키고 성킨 골치아픈 일이 있으며, 일에 어서도 實積이 오르지 않는다. 分數에 넘치는 大事를 계획하여서 失敗를 할 때이다. 故로 잠시 동안, 한 발자욱 뒤로 물러나서 좋은 때가 올 때까지를 기다리는 것이 利得이다. 그런 故로 일을 망칠 때이니 고집을 버리는 것이 좋다. 女性은 家庭(夫子)을 버리고 家出하려는 意義가 있다. 男女가 다같이 異性問題로 敗家亡身할 기미가 농후할 때이다.

癸와 丁의 경우

現在는 運勢가 不運한 時期에 놓여 있을 때이다. 그러나 運이 不運해도 人望은 두텁다.

現在 두 가지 目的을 갖고 大端히 고생하고 있으나, 運勢가 나쁘기 때문에 成就하기 어렵다. 他人, 卽 손위사람이나 親知들에게 相議하여 때가 오는 것을 기다리면 吉이나, 그렇지 않으면 도리킬 수 없는 凶運이다. 조용히 기다리면 五個月 後에는 幸運을 잡게 된다. 또 家庭內에 고충이 있다. 시비 구설이나 소송 등에 말려들어서 자포자기的인 言行이 生하기 쉬우니 注意하지 않으면 平生의 運을 亡치는 結果가 되기 쉽다.

癸와 戊의 경우

不運한 時期에 처해 있는 때이다. 이제까지의 큰 일들의 整理가 잘 되지 않아서 他人으로부터 고충을 받게 되는 때이나 自己만의 生覺으로, 每事를 處理하지 말고 고집이나 오기 같은 것은 버리고 他人과 일을 정리하는 문제 등을 상의하며 의견을 들어 일을 처리해 나가면 난관을 뚫고 넘길 수가 있다. 急히 서둘러서 改革이나 變動을 하면 일은 점점 凶하게 된다. 모든 것이 조급한 마음에서 생기는 경거망동과 고집, 오만, 오기 등으로 인하여 일에 失敗가 발생하는 때이니 각별한 注意가 必要하다. 男女가 다같이 자만과 방종한 마음이 생길 때이다. 家庭事情으로 因하여 移轉을 생각할 때이나 現在로서는 大端히 좋지 않은 때임으로 다음 좋은 때 三個月 後를 기다려서 매사를 시작하면 成功한다.

癸와 己의 경우

極端적인 하락운에 처해 있는 운세이다. 그러므로 전업이나 이사를 할가 말가하고 망서라며 마음에 동요가 생기나, 현재로서는 모든 것이 凶하다. 구태여 고집을 부리고 밀고 나가 전업이나 이사를 한다면 오히려 뜻하지 않는 大失敗를 하게 된다. 또 모든 것에, 너무 나도 고통 받은 나머지 몸은 일시 숨기려고 할 때이나, 쓸데없이 흔들리지 말고 잠시 고통스러워도 참고 마음을 안정시키고 舊事를 꾸준히 굳게 지키고 있으면 머지않어 곧 幸運이 온다. 疾病으로 고생하기 쉬운 때이니 각별히 健康에 주의함을 要한다.

癸와 庚의 경우

現在는 幸運을 向해 가고 있는 때이다. 大望을 한번 가져봄도 좋으리라, 단지 運氣가 强함을 믿고 멋대로의 경솔한 行動을 하기가 쉽다. 그러므로 그 點은 注意를 要한다. 事業面으로 他人으로부터 여러가지로 유혹과 청탁이 들어오나, 그것들은 모두가 虛言이 많기 때문에 남을 믿지 말고 人望도 있고、信用도 있고、또 건실한 사람과 같이 事業을 계획하는 것이 가장 重要하다. 大體로 成功할 수 있는 때이다.

젊은 男女는 氣分내키는대로 行動을 하기 쉬운 때이다. 또 中年者는 女性관계가 생겨서 그로 인하여 後에 失敗하고 大端히 困難한 立場에 놓이게 된다. 俸給生活者는 他職場으로 變動하는 便이 오히려 吉하다.

癸와 辛의 경우

現在는 中運의 시기에 놓여 있다. 마음의 갈등과 당황하며 동요됨이 强하고, 더우기 쓸데없는 일을 미리 사서 고생을 하는 경향이 있으며、吉凶間에 變化가 大端히 많은 때이다.

손위사람의 意見이나 충고도 듣지 않고 行動하기 때문에、大失敗를 하는고로 他人 卽 親知

나 손위사람의 말을 잘 듣고 行動을 하여야만 한다. 또 걸치레를 많이 하는 버릇이 있어,

그때문에 손해를 보는 일이 허다하다.

男女가 다같이 異性관계에 있어서 注意하지 않으면 안된다. 劍難이나, 手術이나 몸을

다치는 일 등이 있음으로 이면에도 注意를 要한다.

癸와 壬의 경우

지금은 大端히 좋은 幸運시기에 놓여 있다. 人望도 있고 信用도 있어서 이제까지 고생한

보람이 이제와서는 열매를 맺을 단계인 것이다. 그러나 業務확장이나 移轉등을 해 볼까 하

는 마음이 動하나、약간 資金不足 또 能力未達인 때문에 손위사람이나 또는 원조해 줄 사

람에게 상의하여 進行하는 것이 吉이다. 獨力으로 進行함에 있어서는 力不足이기 때문에 獨

力으로 進行하는 것은 凶運을 초래한다.

※ 本書의 제일 처음에 설명한 것을 다시 말한다면 日과 時間의 干의 關係라고 말하였다

그 뜻은 그 날과 시간의 干의 관계에서 殘餘된 干과 생년간의 상생상극에 依해서、다시 多

少의 吉凶이 달라지기 때문에 여기에서 記述한 干의 관계에는 日과 시간의 관계에서만 생

기는 吉凶이라는 뜻이라고 生覺하고 연구하기 바란다.

그러므로 天干, 그 자체의 組合의 意味에서 말하면 日과 時間의 關係뿐만 아니라 生年干과 對照하여 應用할 수 있는 것이다.

例를 들면 「甲과 丙」의 象意는 甲日의 丙時의 鑑定事項인 同時에 甲年生의 丙年 或은 丙月의 運氣라고도 할 수 있는 것이다. 또 같은 例로서 「己와 庚」의 象意는 己年生人이 庚年 或은 庚月의 運氣라고 할 수도 있는 것이다.

要컨데 本章에서 말한 百가지의 干의 관계에서 上干을 鑑定하는 사람의 生年干으로 치고 下干을 鑑定하는 年干 또는 月干 或은 日干이라 치고 流年 또는 流月 流日 等의 運氣의 吉凶盛衰禍福等을 미루어 알면 되는 것이다.

第十章 十干轉禍爲福의 秘法

(1) 올바른 운명학을 연구하기로 하자

前章까지에서는 여러 가지 干과 支에 있어서의 관계와 吉凶을 전하여 왔으나, 그러면 吉運인 경우는 무관하나 반대로 凶運에 봉착하였을 때에는 어떤 方法으로 그 凶運에서 免할 것인가, 萬一 면할 수 있는 길을 찾을 수가 없다면 또 감정을 청하는 사람에게 알려서 면하게 할 길이 없다면 이 運命學은 진짜 宿命論에 불과한 死學을 청하는 수 없지 않는가 하는 문제에 다다른다. 그럼으로 여기 이 本章에서는 死學이 아닌 生學이 될 근본적인 원인인 干의 轉禍爲禍의 秘法에 관하여 公開하려는 바이다.

아주 그럴듯한 名稱같이 들리나, 普遍的으로 우리들이 使用하고 있는 「禍를 돌리어 福이 되도록 하는 方法」 정도 解釋해 두면 좋을 줄 生覺한다.

여기에서 注意하지 않으면 아니될 것은 過去의 運命諸法에서는 凶인 경우에는 別 方法이 없었다는 點이다. 「안된다, 기다려라」 겨우 이런 程度로 일러주는 도리밖에는 方法이 없었던 것이다. 그 中에는 「絶對로 안되는 것은 안된다」라고 斷言하여 鑑定依賴者로 하여금 絶望의 수렁속에 빠뜨린 일도 많았다.

그러나 그런 程度의 運命學이라면 무엇을 爲한 運命學인지 알 수가 없는 것이며, 아무런

價値가 없는 學說에 不過하게 되고 만다. 그렇게도 좋은 일이든 나쁜 일이든 간에 絕對的인 것이라면 그런 것들을 運命學에 依하여 미리 알았다 한들, 무슨 소용이 되겠는가. 그렇게밖에 되지 않는 것이라면 더더욱이나 미리 알 필요조차 없게 된다. 쓸데없이 앞으로 다가오는 幸福만을 막연히 기다린다거나 凶한 일들을 두려워만 한다는가 하는 필요는 조금도 없는 것이다. 단지 無爲로 그 좋은 때만 기다린다는 方法만이 最上일 것이다.

그러나 그러한 일들이 眞實이라면 人間은 至極히 不幸하게 된다. 果然 萬物의 영장이라 일컬으는 人間이 그래서야 되겠는가. 무엇인가, 어데인가 반드시 길이 있을 것이다. 또 그러기 때문에 運命學도 存在價値가 있게 되는 것이 아니겠는가. 卽 일의 吉凶을 어느 程度미리 알 수 있다는 것은 人後에 일어나는 여러가지의 吉事나 凶事에 관해서 어떠한 決定을하여 그것에 對한 가장 좋은 方法을 찾아내는 것이 可能하다할 수 있을 것이다. 그래야만 올바른 運命學이 될 것이며 眞實한 術法이라 말할 수 있는 것이다.

이「干支秘法」에서 凶이라 말한 것은 全部 그렇게 될 可能性이 많다는 뜻에 불과한 것이니 絕對라는 것은 아니다. 胃腸이 弱한 사람이 단단한 飮食物이나, 刺戟性이 甚한 음식물만 取하면 더욱 胃腸이 나빠질 可能性이 많으며 弱食과 健康增進法을 行하면 오히려 좋은 음식물만 取하면 단단한 음식물도 먹을 수 있을 것이며 健康한 體力을 얻게 된다 하는 것과 같이져서 後에는 단단한 음식물도 먹을 수 있을 것이며 健康한 體力을 얻게 된다 하는 것과 같은 것이다.

그러므로 本秘法에서 凶이 되면 어떻게 할 것인가, 即 어떻게 하는 그 方法이 「轉禍爲福의 秘法」인 것인가?

어데까지나 宿命論에 빠져들거나 체념해버리지 않도록 最後까지 充分한 努力과 運命개척에의 집념을 갖기 바라는 마음이 간절하다.

될 수만 있다면 天地自然理法에 맞는 方法으로 吉은 더욱 吉하게, 凶은 吉로 돌리어 不幸이 없도록 노력하는 것이 원칙일 것이다. 또한 神에 가호나 예방비법책을 참고하기 바란다.

(2) 十干 轉禍爲福의 秘法

日과 時間의 干의 關係에 있어서 殘餘된 干과 生年干과의 關係에서 相剋이 되여 凶이 된 경우에는 일단 數意판단에 의하여 좋와질 日, 月, 年을 알리어 지도한다. 그 外에 다음의 干의 象意나 方位의 事象等에 의하여 일단 凶보다 吉方으로 轉하도록 努力하여야 할 것이다.

이 秘法은 干支學에 있어서 最高의 秘法에 屬하는 것으로 干의 相剋關係에만 使用하는 秘法인 것이다.

이 秘法은 筆者가 항상 연구하고 실습해 보고 적중율이 좋다는 것을 알고서, 이제 처음으로 世上에 公開하는 干支學의 秘法이다. 日常의 鑑定에서도 이 秘法을 凶을 吉로 돌리는

方法으로 하지 말고 運命判斷의 補助로 應用하면 크나큰 이득이 올 것이며 運命鑑定에 혁신적인 비법이 탄생하게 될 것이다.

※ 다음은 相剋일 때 凶을 吉로 변동시키는 것을 설명한다.

甲×→戊의 경우 (丁)
甲×→己 〃 (丙)
甲→×庚 〃 (癸)
甲→×辛의 경우 (壬)
乙×→戊 〃 (丁)
乙×→己 〃 (丙)
乙→×庚 〃 (壬)
乙→×辛 〃 (壬)
丙×→庚 〃 (己)
丙×→辛 〃 (戊)
丙→×壬 〃 (乙)
丙→×癸 〃 (乙)
丁×→庚 〃 (己)

丁×←—辛의 경우 (戊
丁↑—×壬
              〃
             (甲)

丁↑—×癸
   〃
  (甲)

戊↑—×壬
   〃
  (辛)

戊↑—×癸
   〃
  (庚)

戊↑—×甲
   〃
  (丁)

己↑—×乙
   〃
  (丁)

己↑—×癸
   〃
  (庚)

己↑—×甲
   〃
  (辛)

己↑—×乙의 경우
   〃
  (丙)

庚↑—×甲
   〃
  (癸)

庚↑—×乙
   〃
  (壬)

庚↑—×丙
   〃
  (己)

辛×—↓丁
   〃
  (己)

辛×—↓甲
   〃
  (癸)

209

辛×─→乙 〃（壬）
辛↑─×丙 〃（戊）
辛↑─×丁 〃（戊）
壬×─→丙 〃（乙）
壬　丁 〃（甲）
壬　戊 〃（辛）
壬　己 〃（辛）
癸　丙 〃（乙）
癸　丁 〃（甲）
癸　戊 〃（庚）
癸　己 〃（庚）

以上 揭載한 상극일 때에 下段에 있는 干을 凶을 吉로 轉化시키는 한 방법으로서 象意를 모든 方面에 使用하는 것이다.

・例를 들자면, 「癸×─→丁」의 경우에 「甲」을 使用한다. 即 「癸×─→丁」의 상극관계에서 「甲」은 일단 凶이 된 경우에 「甲」의 象意에 의하여 그 凶을 吉로 轉化하도록 指導한다. 「甲」은 젊은 男性이라는 뜻이 있음으로 젊은 男性에게 상의한다던가, 젊은 男性에게 일을 담당해 달

라던가 한다. 또는 「甲」을 東方으로 하기 때문에 東方에 있는 사람에게 상의한다던가 東方에 가서 일을 추진한다던가 하는 것이다. 或은 「甲」은 새롭다는 뜻이 있음으로 일을 새로히 한다던가 하는 것이다. 또는 甲年生人이나 己年生人에게 일을 맡아달라던가 하는 것이다. 그 外에도 「甲干」의 象意 意義를 모든 面에 應用하는 것이다.

더우기 이 상극관계에서 以上 例擧한 凶을 吉로 轉化하는 干과 鑑定을 依賴하는 사람의 生年干이 같은 경우에는 努力하면 凶이 되지 않는 것으로 한다.

注意하여야 할 것은 이 干을 使用하여 凶을 吉로 轉化할 때에 干의 方位를 使用한다고 方轉居의 方法으로 이 干의 方位를 使用하여서는 않되는 것이다.

例를들면 「甲」이 東方이라 하여 東方으로 移轉하는 것이 아니고 東方에 있는 사람의 힘을 빌린다든가 救援을 請한다던가 또는 自身이 東方에 가는 경우라도 一日間이나 二日間程度의 日數의 경우이지, 아주 移住한다는 것이 아니다. 方位學과 이 干支學의 轉禍爲福方法 과는 全혀 別途로서 같은 方法으로 使用해서는 안된다. 方位問題는 어데까지나 正統的인 올바른 方位學에 依한다는 것을 銘心해 주기 바란다.

(3) 愼重한 判斷을 하는 法

이제까지 말해온 「日時秘法」은 從來의 諸法術에 比較한다면 至極히 簡單하다. 即 어느 누구나 原則만을 充分히 習得한다면 實로 簡單하게 判斷할 수가 있는 秘法이다. 그러나 이 簡單한 秘法이라도 各己 어느 程度의 復雜함은 있으나, 그 點에 對해서는 이 本秘法을 使用하는 사람의 豊富한 才能과 學識에 依한 活用法에 依하는 道理以外는 方法이 없는 것이다.

아무리 精密하고 複雜한 秘法일지라도 使用하는 사람의 如何에 따라 그 秘法을 縱橫無盡하게 利用하지 못한다면 그것은 오직 틀에 박힌 死物化 할 것이며 判斷도 제비뽑기와 같은 單純한 것에 不過하게 될 것이다.

또 本秘法과 같이 原理原則이 簡單한 秘法일지라도 이것을 使用하는 사람에 따라서 보다 훌륭하고 멋진 감정판단이 될 수도 있는 것이다.

그러면 이「멋지고 훌륭한 판단을」하려면 別途로 어렵고 고된 修業이 必要한 것도 아니고 特殊한 靈感 따위가 必要한 것도 勿論 아니다. 單只 本書에 써 있는 모든 것을 일에 臨하고 때에 따라서 縱橫으로 活用만 한다면 充分한 것이 된다.

같은 상극이라도 生年干에 따라서 또는 變化한 干에 따라서 多分히 여러 가지의 다른 判斷이 나온다.

例를 들면 壬子日의 乙卯時의 경우에

壬○→乙   水生木
　　　　　乙

이와 같으나 이것이 第八章의 「日時變化秘法」에 依해서 다음과 같이 變化한다.

子○→卯　水生木　卯

日　壬　乙　水生木　乙
時

午←─子
　變化
卯←─卯
　變化
酉　水生木　卯
火剋金　午

이 관계에서도 丙生人과 辛生人과는 또 多分히 달라진다. 남은 (殘餘) 干支와 生年의 干을 對照한다면 다음과 같다.

生年　殘餘干支　生年

丙
↑乙
卯　　辛

木生火　　金剋木

```
 日   時
 壬   乙
 水生木
```

자연간지

```
乙 ─→ 丙年生이면 相生되며
卯 ←─ 辛生이면 相剋되며
午 ─→ 辛生이면 相剋이 된다
```

```
午 ←── 子
 ↓     │
 ↓     ↓
 酉 ──→ 卯
```

이와같이 같은 上에서 下로 相生이라도 生年干에 따라서 달라진다. 그 위에 前記의 變化의 關係를 살펴보면 「乙卯」는 「酉」로 變化하는고로 「乙卯」에는 相生이였던 丙生人도 「酉」와는 오히려 火剋金이 되어 相剋關係가 되며, 「乙卯」에 相剋이였던 辛生人은 「酉」와는 比和關係가 된다. 그러나 이 「酉」도 結局에는 「壬子」가 變化한 「午」에서는 「火剋金」, 卽 相剋을 받아 「午」가 남는 結果가 되는 것이다.

그러기 때문에 이 變化盛衰의 關係는 아주 침착하게 그리고 면밀히 注意해서 살피지 않으면 않되는 것이다. 이상의 법측을 개개인의 비법을 활용하기 바란다.

213

《付 錄》

(1) 出生支로 月運見特秘

하나의 例로서 배(船)를 움직임에 있어, 배선장이 滿潮나 干潮時 進退를 탐지하며 動不動을 決定하는 하나의 羅針盤으로 생각하며 연구하는 마음으로 參考로 提供하는 바이다.

子生은 누구나 一月을 만나면 비슷하다는 통계의 운이다.

月/支　子　生

丙寅生人은 疾病의 注意.

一月　活躍할 수 있는 달. 무엇을 하거나 一單은 豫期 以上의 좋은 結果가 있으나, 너무 지나치지 말 것.

二月　好運氣가 繼續되나, 散財가 많다. 要注意 新計劃은 八割程度의 實行, 自重하여 한번 잡은 好運을 놓치지 않토록 굳은 마음가짐이 重要.

三月　散財가 많기 마련. 慢心은 禁物, 勤實하게 本業을 지키면 將來 大發展할 基礎가 된다. 新規事業에 着手함도 可.

四月　運氣絕頂, 盛運에 醉해서 慢心하면 後에 大失敗할 原因이 될 위험이 있다. 中旬 以

五月 中旬 以後에는 每事 不如意。 新規事는 잠정적 보류할 것。

六月 每事 小康狀態의 時期、 자칫하면 欲情에 흘러 그로因하여 大失敗를 招來하기 쉬움

七月 下旬은 大吉、 大事는 삼가할 것、 小事는 每事가 良好함。

八月 活動의 幅에 비하여 結果는 少、 今月은 中旬 以後 특히 注意。

九月 大凶運의 달、 초조하게 서둘지 말고 努力하라。 疾病 盜難에 특히 注意。

十月 下旬부터 좋아진다。 企劃한거나 準備한 것은 全部 中旬 以後부터 實行、 將來 좋은 結果의 原因이 된다。

十一月 運氣는 漸進的으로 上昇勢에 있다。 將來의 大計劃은 今月中에 그 第一步를 밟기 시작하라。 慢心은 禁物。

十二月 亂調투성의 달、 每事 愼重한 批判이 重要、 이제까지 順調로웠던 者는 大吉、 나빳던 者는 一事에 熱中하라。 좋은 結果를 잡을 運

月/支 丑 生

一月 運氣弱勢、 每事 氣分대로 함은 禁物、 操心性 있게 消極的인 것이 바람직。

二月 十日 以後부터는 每事 實行에 옮겨도 吉, 下旬이 될수록 좋으나 運氣가 本格的이 아님으로 氣分대로 하지 말고 꾸준히 努力함을 要望.

三月 萬事가 如意대로 展開되는 달. 輕擧妄動은 禁物.

四月 財祿의 惠德이 있어 平和스러운 달이나 下旬에 不意事故가 生기기 쉽고 사소한 일에도 注意할 것. 去來 健康에 注意.

五月 十日頃부터 活潑한 樣相이 되나, 運氣는 아직 本格的이 아님으로 慢心禁物, 그러나 每事 消極的일 것.

六月 無難한 달, 무엇이든 서둘지 말고 着實하게 努力하면 期待以上의 結果를 얻는다.

七月 不如意한 달, 下旬에로 特히 操心性 있게 消極的이어야 할 것.

八月 凶運의 달이니, 每事에 無理함은 大禁物, 特히 疾病 等에 注意.

九月 生覺한대로 되지 않는 달, 去來나 事業은 若干 操心있게 消極的으로, 그러나 小康狀態.

十月 凶運의 달, 欲心을 부리지 말고 本業을 굳게 지키며 努力함이 重要.

十一月 함부로 움지기면 大凶, 어떠한 일에나 堅實한 將來의 可能性如否를 알고 專心努力함이 重要. 運氣는 弱함.

十二月 초조함은 禁物, 勤實한 努力만이 小康을 얻을 수 있는 열쇠이다.

月／支　寅　生

一月　運氣가 겨우 下旬부터 動한다。초조히 굴지말고 着實하게 努力함이 緊要。

二月　괜히 奪走한 달。그 反面에 收穫은 적으나, 今年의 盛運을 맞이하는 重要한 때이니 경거 妄動은 禁物。

三月　運氣가 本格的으로 되는 때, 每事마음먹은대로 實行할 것。좋은 結果를 얻을 수 있다。

四月　積極的으로 밀고나가도 좋으나, 二十日後부터는 若干 헤이해진다。이때에는 좀 조심성 있게 消極的으로 散財는 주의。他人에게 一任하지 말고 本人이 直接 每事에 臨할 것。

五月　上旬은 苦痛스러우나、中旬以後에는 每事가 如意하게 된다。生覺한대로 實行하다。

六月　好運 今月도 幸運의 女神이 반긴다。決斷性있게 每事 實行에 옮겨도 반드시 좋은 結果를 얻는다。남에게 의뢰하지 말고 自主的으로 處事할 것。

七月　好運도 中旬까지 下旬은 財政關係에 막힘이 生긴다。本來의 業이나 去來는 進行해도 無妨하나 新期事는 때를 더 기다리는 것이 上策。

八月　今月의 行動은 充分한 計劃에 依해 움직일 것。妄動은 後日에 破滅의 原因을 만

九月 運氣가 漸次 衰하는 달, 每事 無理하지 말고 本業만을 堅實하게 지키는 것에 努力할 것.

十月 上旬은 若干 好調, 그러나 不如意한 달, 新規事는 實行不可, 無謀한 움지김을 삼가하면 小財는 얻는다.

十一月 生覺하는 것이나 하고 있는 일이나, 間에 相對로부터 무너진다. 초조하게 굴지 말고 時期를 기다릴 것.

十二月 中旬에는 財政面에 多少 好運氣、그러나 好結果는 바라지 못함。無理하게 서두르는 것은 大禁物。

月/支 卯 生

一月 運氣가 停止狀態의 달임으로 百事를 時期를 기다리는 태도가 必要, 下旬에는 每事와 健康에 特히 注意。

二月 旺盛한 달이다。下旬에는 好運 勢를 믿고 妄動은 禁物、財政面보다 業務面에 運氣가 强함。

三月 運氣가 好運期를 마지한 달이나 지나치면 意外의 大失敗를 招來함, 固執을 부리는

것을 조심할 것.

四月 大活動을 保障받는 달. 財運面이 크게 旺盛하나 謙遜과 주저함은 損害.

五月 上旬에는 若干의 차질이 생김. 注意를 要함. 그러나 運氣는 漸次 무르익어간다. 新規事에 着手하라 幸運을 잡는다.

六月 運氣가 自身만을 爲하여 存在하는 것 같은 달. 每事 不如意함이 없다. 그러나 慢心은 禁物、謙虛한 生活에 복록은 스스로 찾아온다.

七月 下旬은 惡巡環의 狀態, 상순부터 일찍이 每事를 단단히 조이고 들어가지 않으면 後日 한탄을 남긴다.

八月 上旬에는 運이 나쁘다. 中旬以後부터 小康狀態다. 그러나 비관은 금물, 外見보다 內實的이고 勤實한 努力이 必要.

九月 下旬은 若干良運 서둘지 말고 時期를 기다려라. 無理하게 斷行하면 이 달은 大失敗한다.

十月 下旬은 運氣가 나쁘다. 疾病에 注意、建築이나 移轉은 禁物、每事에 愼重主義가 緊要、欲心부리면 오히려 大損.

十一月 他人의 甘言利說에 말려들지 말라. 健康注意、二十日 前後에 意外의 기쁨이 있겠으나 安心은 禁物、초조해 하지 말고 時期를 기다려라.

十二月 실속이 없는 말이 많은 달, 希望事는 來年에 期待하고 準備에 萬全을 期해야 할 때 大事는 不可, 小事는 吉。

月/支　辰　生

一月 疾病注意、새로운 사업은 不可、金錢關係의 去來도 愼重하고 消極的으로 戊辰生人 은 萬事에 注意。

二月 運氣가 弱함, 이 달은 金錢 財橡面에 기쁨 있고、健康에는 注意 新規의 計劃事의 實行은 一切不可。

三月 多事多難 失敗가 많음。萬事에 細心한 注意를 기우려라。勞苦의 代價는 反對로 弱 하다。

四月 잘 될듯하면서도 잘 되지 못하는 달, 去來面에 事故가 많이 생김、쉬지 말고 꾸준 히 努力하며 本業을 지킬 것。

五月 이제까지의 苦痛스러운 面에서 겨우 빠져나올 수 있다。 時期到來의 달, 중순경부 터 每事에 積極的으로 解決해 나갈 것。

六月 今月은 每事에 勇氣와 강한 意志로서 處理해 갈것。萬事如意라 단지 他人의 甘言 利說에만 特히 注意할 것。

七月 下旬에는 特히 注意를 要함. 慢心하고 방심하면 이제까지의 功德이 하루아침에 이슬로 變한다. 妄動은 嚴禁.

八月 過去之事의 解決로 窮迫해지는 달, 決斷이 緊要, 中旬以後부터는 小事는 吉.

九月 表面的인 强한 運에 妄動하지 말 것. 實際의 運氣는 弱하다. 시비 구설 쟁사는 절대로 피할 것.

十月 上旬에는 小康特態를 얻으나, 下旬이 되면 나쁘다. 去來나 交涉事는 特히 注意할 것, 運氣가 亂調.

十一月 每事 不如意한 달, 이제까지 멋대로 每事를 處事해 온 사람은 반드시 시비 구설이 생김. 萬事 愼重함이 必要.

十二月 이달도 生覺한대로 되지 않는다. 健康에 注意, 感情的處事도 禁物, 時期를 기다리는 마음갖임으로 進行할 것.

月/支 巳 生

一月 運氣가 弱함. 疾病, 去來 事業等等 모든 面에 充分한 注意할 것.

二月 大端히 나쁜 달. 特히 健康조심, 盜難 기타의 災難에 注意, 每事 삼가할 것. 이제까지 해오는 일에는 細心한 注意를 하여야 한다.

三月 急히 서두르는 것은 禁物, 착실한 努力만이 절대로 必要하다.

四月 時期를 기다리는 마음가짐이 重要하다. 下旬에는 特히 몸 조심, 不時의 災難에 대비하는 注意를 기우려라.

五月 事業面에는 運氣가 強하게 動한다. 이제까지 不運했던 者는 이달부터 좋와진다. 反對로 無自覺한 行動을 하면 不意의 大失敗가 있다.

六月 事業 商去來等 모든 面에 大吉, 그렇다면 無分別하면 大損이 不意에 닥침으로 注意할 것.

七月 盛大한 運勢이나 中旬以後는 事故連發 適當線 卽 八割 程度에서 머물고 다지며 조이면 後悔를 남기지 않는다.

八月 中旬부터 겨우 運氣를 맞이하여 活潑하게 움지기기 시작한다. 기초를 든든히 하고 計劃을 세워라. 健康注意.

九月 大盛運의 달, 勇氣를 갖고 決斷性 있게 活動하면 將來의 基礎를 다진다. 操心하며 破滅親知를 注意하라.

十月 今月은 每事에 緊縮하여 處事하지 않으면 下旬에 가서 한방 크게 얻어맞는다. 방심 방심은 大禁物, 每事에 着實하고 細心하게 하라.

十一月 凶運의 달, 每事에 차질이 생겨서 가다가 멈추어지기 쉬운 달이니 新規事業 開店,

十二月 自主的인 行動은 失敗하기 十中八九이니 萬事 삼가할 것, 細心한 面까지 注意하며 建築等은 潛定的으로 保留함이 可, 疾病에 注意。 失敗하지 않토록 一年間의 成果를 잃어버릴 우려가 많음。

午 生

戊午生人은 특히 注意가 필요。

一月 失敗의 結果가 생겨나기 쉬운 달이다。 每事에 愼重한 處事를 게을리 하지 말 것。

二月 좋은 運勢인 달인 것 같이 生覺되나 이 달은 運勢가 나쁘기 때문에 차질이 많다。

三月 愼重하게 行하면 오히려 豫想밖의 좋은 成果를 얻는다。

四月 生覺한대로 될듯하면서도 않되는 달。새로운 일은 勞苦는 많으나 반대로 결과는 나쁘다。

五月 下旬부터 漸進的으로 좋아진다。 그러나 새로운 일에 着手할 때는 아니다。

六月 中旬부터 좋와진다。새로운 일에 企劃 實行에 옮겨도 無妨하다。

七月 盛運의 달이라 왠지 如意치는 않는 달이다。新規事는 一切 不可。

放心은 禁物。意外의 失敗라는 伏兵이 있음을 잊지 마라。下旬은 더우기나 注意할 것。

八月 無難한 달, 모든 것이 吉이다.

九月 猛活動의 時期, 財福이 充滿된다. 色情關係는 禁物, 새로운 일에 着手하는 것은 大端히 좋다.

十月 下旬을 注意하여 失敗하지 않도록 注意하면 번경운이 있는 달.

十一月 小康狀態 無謀한 行動은 오히려 損害本業을 굳게 지키고 欲心부리지 말 것.

十二月 運氣가 本格的이 아니기 때문에 더우기 不意에 事故가 생기기 쉬운 달. 萬事에 充分한 注意를 쏟을 것.

未生

一月 全般的으로 이 달은 生覺대로 되지 않는다. 親知나 知人의 도움을 청할 것.

二月 自重을 第一의 信條로 삼을 것. 新規事業은 中止할 것. 着實하게 本業을 지키면 意外의 성공이 있다. 健康注意.

三月 사치스럽고 華麗한 事業은 禁物. 新規事業 不可, 自重第一.

四月 若干 小康狀態, 活達해질 것 같은 달이나 無謀함은 禁物, 着實한 努力으로 本業을 지키며 他의 유혹에 빠지지 말 것.

五月 失敗하기 쉬운 달, 萬事조심, 새로운 일은 中止, 本業을 지킬 것.

六月 本業의 運氣가 弱함으로 每事에 臨하며 愼重하게 處理할 것. 交友關係注意.

七月 分數에 넘는 일은 삼가할 것. 무엇을 計劃한다해도 이달은 않된다.

八月 財運面에서 기쁨이 있는 달, 上旬을 조심스럽게 넘겨라.

九月 盛運의 달, 방심하지 말라, 좋은 벗을 얻으면 一生의 大計도 세워진다. 散財에 注意.

十月 散財에 注意, 着實하게 本業을 지킬 것, 下旬에는 特히 注意.

十一月 愼重하게 努力하면 萬事에 大過없다. 運氣는 弱勢, 무엇에나 스스로 求해서 움지기면 失敗.

十二月 欲情에 빠지지 않으면 平穩하다. 無理한 일은 헛일. 他를 부러워말고 着實히 本業을 지킬 것.

申 生

一月 運勢가 漸次衰하는 달, 下旬에 가서야 겨우 好轉되나 그것도 오래가지 않는다. 故로 방심은 절대로 禁物.

二月 中旬頃부터 나빠진다. 每去來는 特히 愼重하게 行할 것, 단골 또 기타의 交際에는 되도록 感情을 누르고 親切과 奉仕로 對할 것.

三月 運勢가 弱함、本業을 지키고 努力함이 무엇에 比할 수 없는 成功의 秘法이다.

四月 大端히 흔들리는 달. 無自覺한 行動은 삼가할 것, 下旬에는 小康을 얻는다. 새로운 일은 一切 實行하지 말 것.

五月 中旬부터 每事가 亂調 良友나 先輩의 協助를 얻으면 意外로 좋은 成果를 얻는다.

六月 事故가 생기기 쉬운 달, 새로운 일은 삼가할 것, 他와의 紛爭은 後日에 후회할 일을 남긴다.

七月 下旬은 良好、새로운 일이나 무엇이나 간에 十五日 以後에 實行에 옮겨라. 後日에 좋은 成果가 있으리라.

八月 大活動의 달, 그러나 자칫 지나쳐서 失敗한다. 細心한 마음갖임으로 行動하면 大吉

九月 事業面의 擴張에는 가장 좋은 때이다. 活動的인 달임으로 愼重하게 考慮하여 努力하라. 大吉.

十月 남이 부러워 할 때, 그러나 下旬부터는 運氣가 變함으로 이에 對處하여 마음갖임에 방심은 絕對禁物.

十一月 모든 일에 積極的으로 實行하고 推進하여도 可함. 他人에게 속기쉬우니 萬事에 臨하여 방심해서는 않된다. 是非이나 口舌은 避하라. 그렇지 않으면 大損害있다.

十二月 今月은 諸事에 단단히 조이고 조심스럽게 달겨들어라, 자칫 잘못하여서 방심하면 將來에 後悔를 할 原因을 만들게 된다.

酉 生

一月 平穩의 달, 그러나 방심은 禁物.

二月 無難한 달이라 할 수 있으나, 上旬에는 好運인 反面에 中旬以後는 도무지 期待에 어긋나는 일만 생기기 마련이다.

三月 健康에 注意, 交友關係에 있어서는 특히나 注意할 것, 每事에 방심하면 意外의 災難을 當하게 된다.

四月 下旬에 접어들면 좋다. 財運面에 기쁨이 생긴다.

五月 疾病, 親戚關係의 災難, 其他 周圍에서부터 생겨나는 災難에 注意할 것. 萬事에 無理를 하지 말 것.

六月 나쁜 달, 어느 곳, 어떻한 때에 不時에 災難이 닥칠지 모르는 까닭에 家庭, 親戚, 親友關係에 特히나 注意, 每事에 慾心을 부르지 마라.

七月 萬事에 決斷性과 勇氣를 갖고 實行하여도 吉한 달, 意外의 好結果를 얻을 수 있다 上旬은 不可.

八月 下旬에 財運에 기쁨이 있다. 新規事, 建築, 事業, 其他 百事가 生覺대로 斷行하여도 可한 달.

九月 運氣最上의 달, 이제까지 吉하던 사람은 이제부터 좋와진다. 단지 事故가 생기기 쉬운 달임으로 下旬에 注意.

十月 하기에 따라서는 新生의 달이다 할 수 있을 程度, 運氣가 强한 때 決心대로 實行하라, 每事 주저하거나 지나친 조심性 等은 오히려 損害.

十一月 平安無事한 달이다. 勤實하고 堅實한 일에 着手하는 것이 重要하다.

十二月 幸福한 달이나 積極性을 잃는다면 生覺한 結論을 얻지 못한다. 自己의 協助를 얻는다면 큰 好運을 잡을 수 있다.

戌 生

一月 諸事가 生覺하는대로 되는듯이 보이나 結果는 그렇게 좋지 않다. 무엇이던 한 번 잡으면 놓치지 않을 굳은 決心이 緊要하다.

二月 中旬以後는 諸事를 若干 조심성있고 한발 물러나는 氣分으로 行하면 萬事 生覺한대로 될 달이나 방심하면 大失敗할 수가 있다.

三月 新規事는 조심할 것, 마음먹은대로 되지 않는다해도 초조히 굴면 損害, 分數만 지

四月 키면 全般的으로 無難한 달.

五月 가다가 막히는 일이 많은 달. 下旬이 되어서야 若干 좋아진다. 交友 去來 關係는 特히 和合을 찾는 立場과 心思로 對할 것에 努力하라.

六月 生覺대로 되지 않는 달. 끊임없는 努力은 繼續하면서 時期를 기다리는 것이 最上의 길.

七月 때를 기다리며 초조히 서둘지 말 것. 무엇이나 조심성 있고 若干 늦추어서 行하며 지내노라면 意外로 平和로운 달이 된다.

八月 下旬은 良好、平和스러운 달인 것 같으나 生覺지도 못한 事故가 생기기 마련이다. 每事 愼重하게 處事함이 第一 重要하다.

九月 中旬 以後에는 나쁘다. 시비 구설 爭事等이 생기기 쉬운 달이니 每事에 臨하여 만사에 조심할 것.

十月 衰運의 달、초조하게 서둘지 말고 차분히 時期를 기다려라. 急히 서둘면 오히려 도리킬 수 없는 失敗가 있다. 金錢貸借關係는 特히 注意.

十一月 上旬은 每事 不如意하나 下旬에는 갑자기 좋아진다. 新規事는 中旬以後에 着手함이 可.

十二月 財運面에서 기쁨이 생긴다. 反面 散財面에 注意 下旬이 될수록 運氣가 좋아진다.

十二月 浪費가 많고 實이 따르지 않는 달이 되기 쉽다. 本業은 굳게 지키며 努力하는 일이 가장 重要하다. 小康狀態의 달이다.

亥 生

一月 事業은 盛大하게 할수록 可하다. 金錢運은 그렇지도 않다. 억지로 金錢을 얻으려면 後日 紛爭의 原因이 된다.

二月 每事 生覺대로 實行하라. 지나치면 後悔할 일이 생기니 好惡의 分別을 確實히 하고 努力할 것.

三月 점점 每事隆盛의 달, 勢를 지나치게 타지 말 것. 親知나 벗을 소홀히 하지 말라. 浪費를 삼가하라.

四月 旺盛한 運氣의 달, 下旬부터 特히나 事業面에 發展을 期待할 수 있으나 每事 頂點을 確認하고 下降할 것을 잊지 말어야 한다.

五月 中旬부터 急激히 차질이 생긴다. 그러나 자포자기의 행동은 禁物 冷情하게 現實을 判斷하라. 妄動은 이제까지 쌓은 功을 一時에 무너뜨린다.

六月 어떠한 術策을 써도 이 달은 結果가 나쁘다. 서둘면 서둘수록 나쁜 方向으로 깊이 빠져든다. 本業을 지키면서 시기를 기다릴 것.

七月 中旬以後 한때 苦難에서 解放되나 길게 가지 않는다. 小事는 吉.

八月 무엇이던 卽決主義가 좋다. 길게 끌면 交涉事는 재미없게 된다. 새로운 일은 중지 않다.

九月 運氣가 아직 未達한 運 愼重하게 本業만을 지킬 것.

十月 하순부터 運勢가 强해진다. 무엇에나 이제까지와는 달리 좋게 展開된다.

十一月 새로운 일에 着手하는데에 最適의 달이다. 그러나 愼重한 計劃이 重要하다. 運氣는 上昇勢.

十二月 活動이 活潑해지는 달이나 無分別한 行動은 努苦만 많고 結果는 적다. 그러한 달이 되기 쉬운 달이니 每事에 細心한 注意를 할 것.

⑵ 易의 名言集

易經은 몇번을 되풀이해서 읽고, 또 읽어도 一字一句도 헛된 것은 하나도 없고, 簡潔하면서도 理解하기 쉬우며, 그러면서도 그 안에 含蓄된 뜻은 깊이가 限이 없다. 中國古典 中에서 筆者에게는 가장 興味를 진지하게 일으키게 하는 經典이다. 易經을 愛讀하는 사람에게는 一句 一章의 모든 것이 名句가 아니면 名言이라 생각되기에 여기에 揭載하고 싶으나 그렇다고해서 全文을 紹介하기에는 紙面이 許諾치가 않는다. 때문에 여기에서는 易經十翼

은 징검다리의 돌을 놓는 式으로 揭載하기로 하였다.

名言=名言이란 推奬한다 하여도 사람에 따라서 各己 그 취미가 다를 것임으로 本人이 좋와하고 즐겨 愛唱하는 範圍內에 限定된 點을 不得已한 것임으로 事前에 諒解를 求하는 바이다.

「方以類聚 物以群分 吉凶生矣」=방이유취 물이군분 길흉생이

方이란 陽方이나 陰方을 뜻하는 것이다. 陰과 陽의 氣를 눈으로 볼 수는 없으나, 各類로서 集結된다. 物에는 陽物이 있고 陰物이 있어 무리(群)군서 나누어진다. 天地의 陰陽에는 吉과 凶의 마음 없으나 形과 마음을 다같이 갖추고 있는 人間에 있어 비로서 吉凶이 생긴다. 類는 벗을 부른다. 이왕에 부를 바에는 좋은 벗을 불러라. 좋은 사람의 벗이 되라.

物이 動하면 반드시 喜悲가 차례차례 感知할 수가 있다. 易은 現象이 일어나는 그 奧機를 確認하는 것이다. 또 變化하는 原理에 依해서 現在에서 未來事를 더듬어찾는 것이다.

「乾以易知 坤以簡能」=건이역지 곤이간능

偉大한 動을 續繼하여 쉴 사이 없는 天이기는 하나, 그 運行에 있어서는 아무런 氣도 없이 行해지고 있다. 그럴듯한 條件도 없으며 가까히함에 어려울 것도 없다. 萬人에 對해서 철저하게 公平無私하기 때문이다. 人間은 누구나가 太陽을 알고 달을 기뻐하며 大地 위를

이와 같이 自然은 어려운 條件 따위를 붙이지 않는다.

坤의 大地도 萬物을 生育함에 있어 정말로 簡略하기 이를데 없다. 樹木、雜草、昆虫、害虫、毒蛇 많은 虫等 이것저것 가리지 않는다. 天地는 默默히 偉業을 이루어가면서도 그 功을 자랑하지 않기 때문에 모든 사람에게 알리어지고 親해지며 믿어지며 永遠히 찬양받어지는 것이다.

卦에는 進의 春夏에서 退의 秋冬、剛陽、晝間、주간의 陰爽等 모든 變化가 생기는 것이나 이것을 人間이 알고싶다고 生覺하는 일들을 맞추어 보면、잃는 것도 있으며、얻는 것도 생겨 吉凶이 여기에서 發生하게 된다. 悔는 後悔하고 改正하여가기 때문에、吉로 바꾸여가는 徵兆가 되며、咎은 改正함을 망서리며 아쉬워하기 때문에 凶의 始初가 되는 것도 일의 如何에 따라서 두렵고 걱정이 되어 서둘러서 對策을 강구하지 않으면 아니되는 일도 있다. 나갈 것인가、물러날 것인가 하는 時期에 對해서도 自然히 判斷이 必要하게 된다.

「否」라는 卦象일 경우에는 물러남이 上策이다. 天下泰平의 「泰」라면 表面平穩하다 해도 닥쳐올 亂에 對備할 것을 잊어서는 않된다.

「剝」은 잎이 떨어지고 가지는 시드는 때이다. 아무리 이를 갈며 힘을 쓴다 하더라도 시들어야 할 때는 시들어진다. 外的으로 움직이는 것을 그만두고 內的으로 情熱을 불태워라。 꿈을 가꾸며 기다리고 있는 동안에 一陽來復의 機會는 반드시 돌아오기 마련이다。 大自然을 理解하는 것으로부터 始作된 易은 自然科學의 元祖라 하여 손색이 없을 것이다. 옛사람들은 易書를 座石에 놓고 現在의 모습을 확인하고, 未來에 展開할 機를 살피기에 餘念이 없었다. 六尺짜리 작은 房안에 있으면서 멀리 三千里밖의 일을 소상히 알 수 있는 術로 하였다. 알고 있다는, 그 자체가 비로서 마음도 平穩하고 또 對備할 수도 있는 것이다. 無慾無私의 心境이 됨으로서 「氣」(易의 告하는 氣)를 잡을 수가 있다. 慾心에 사로잡혀 있어 들뜬 마음으로서는 變化를 바로보지 못하여 正確한 計劃도 出所進退도 때를 놓치게 된다.

過失을 알고 早速히 改正하고 補完하는 者는 凶이 않되고 오히려 吉로 가까워진다. 小事도 大事와 마찬가지로 소홀히 하지 않고, 權力이나 金力앞에 두려움을 갖지 않는 사람이 됨으로서 비로서 人間으로서 大成할 수가 있다.

「仰位觀於天文 府以察於地理」=앙위관어천문 부이찰어지리
「原始反終故知死生之說」=원시반종고지사생지설

天文地理를 觀察하여 天地의 道理를 알고 萬物人情의 機微가 하나의 理致로 이루어짐을 易은 敎示한다. 처음(始)을 더듬어서 그 理致를 明確히 안다면 끝(終)도 알 수가 있다. 시작이 있으면 끝이 있고, 끝이 나면 또다시 시작으로 되돌아간다. 終始는 一致하고 本末는

一理에 다다른다.

 生이 있으면 死가 있다. 살고 있을 때에는 生氣가 모여 形이 發展해간다. 死하면 生氣는 흩어지고 形은 무너져 흙으로 돌아간다. 人間의 生命은 天地에 生하고 또다시 天地에 回遠한다. 死를 悲劇으로 함은 人間의 情에 依해서이나 마땅히 돌아가야 할 곳에 돌아가는 것에 不過한 것이다.

 모든 것을 生育하며 끝없는 恩惠를 베푸는 天地의 道理를 自身이 밟아야 할 道로서 이어 감이 最高의 善인 것이다. 善은 生命을 育英하기 爲해서 멈춤이 없는 것이다. 이것을 具體的으로 表現하는 것이 男女의 性이다. 生覺하는 人間이라면 태어나서 오직 먹는것 만으로는 滿足하지 않는다. 天地의 道를 自身이 밟어야 할 道로서, 德을 기르고 仁을 爲해 生이 生命에 붙어있는 限 善으로서 이 社會에 奉仕할 무엇인가를 하지 않고서는 가만히 있을 수는 없는 것이다.

 「斷之者善也」=단지자선야
 「成之者性也」=성지자성야
 「天之所助者順也」=천지소조자순야
 「人之所助者信也」=인지소조자신야

 天地大自然의 道理에 順從하여 道를 닦음에 게을리하지 않고, 모든 사람에게 利益이 되는 사람에게 天은 반드시 도움을 주는 것이다. 그와같은 行爲者를 사람들은 마음 속으로부터 신뢰할 것이며, 선퇴하기 때문에 사람들은 그 사람을 支持하며 協力하고 도움을 주게되는 것이다 행하지 아니하고 易은 體得하지 못한다.

「吉凶者貞勝者也」=길흉자자승자야

「日月之道貞明者也」=일월지도정명자야

卦象을 보고 凶을 避하고 吉로 접어드는 길이란 正道뿐이다. 올바른 行動만이 凶에게 이길 수 있는 것이다. 日月 卽, 大自然의 法則이란 邪陰한 것이 아니고 公明正大한 道埋에 바탕을 둔 堂堂한 길언 것이다.

天地自然의 道를 있는 그대로 行함이 올바른 사람의 道어며, 善의 道을 가다듬음으로서 過誤를 犯하지 않는 것이다. 正直하면 損害를 본다. 眞實되게 善道와 正道를 걷는 사람에게도 一時的인 凶이 있는 것 같으나, 건 眼目으로 본다면 正直한 者가 損害를 본다는 것은 正과 邪道는 一時的으로 華麗할지는 모르나 길지는 않게 된다. 卽 事必歸正이라 每事는 結局에 가서는 올바른 것으로 돌아 오기 마련언 것이다.

「天地之大德曰生」=천지지대덕일생

「聖人之大寶曰位」=승언지대보일위

「何以守位曰仁」=하이수위왈인

만물의 생명을 창조하고 생명을 育英한다는 것이 天地의 크나큰 德이라 하는 것이다. 德의 최고라 함은 生命을 創造하고 育英하는 것임으로 殺生이라는 것은 罪惡中에서도 最大의 罪惡인 것이다

그 德을 갖은 사람을 聖人이라 일컫으나 聖人이라 할지라도 位置를 얻지 못한다면 天下에 널리 德行을 伸張시킬 수가 없다. 民主主義時代로서 모든 人間은 平等함에는 틀림이 없으나 能力을 發揮함에는 역시 位置가 重要하다. 故케네디도 大統領이라는 位置를 얻었음으로서 더한층 그의 能力은 世界를 相對로 發揮되었던 것이다.

그러므로서 位置를 얻는다는 것은 큰 寶物과 같은 것이나, 그 位置는 무엇으로 얻을 것인가 하면 모름지기 오직 그 사람의 仁德이 厚한 行爲에 依한 것이다. 愚昧한 者가 태어날 때부터 王者의 位置에 놓였다 해도 그 者에게 仁이 없다면 支配者로서의 位置는 길게 이어지지 않는 것이다.

「陽卦多陰 陰卦多陽」=양괘다음 음괘다양

이 句節의 八卦에서의 組立은 別項의 說明과 何等 다를 바 없으나, 純陽인 乾, 純陰인 坤을 제외하고 他의 六卦를 表示한다면 다음과 같다.

兌(태) ─→ 小女   三

離(리) ──→ 中女 ☲

巽(손) ──→ 長女 ☴

全部가 女性을 表示하는 陰卦이다. 陰卦인데도 그 中에는 二陽一陰이 있다. 또,

震(진) ──→ 長男 ☳

坎(감) ──→ 中男 ☵

艮(간) ──→ 小男 ☶

以上은 全部 異性을 表示하는 陽卦인데도、二陰一陽으로 되어 있다.

이 陰卦陽 卦를 말하고 있는 것이다. 이것은 中心이 되는 陽(君子、支配者、獨立者)는 하늘이 二個가 없듯이 恒時 一人을 意味하며 生命을 生하는 生理體의 象徵도 內包하고 있는 것같다.

反對로 女性의 陰卦에 二陽이 있는 것은 支配的인 一陽의 性格이 아니고 一君에 따르는 二民(多數의 意)의 質을 表示하고 있는 것이다. 生理의 象徵도 包含되어 있을 것이다. 다시 말한다면 生命體는 陰과 陽의 交錯와 그 調和에 依해서 成立되는 것임으로 陰性인 것에 陰만이 加算되어 감은 生命의 創造와 發展이 있을 수 없기 때문이다. 陽에 陽을 더한다 해도 別道理가 없는 것은 마찬가지이다.

造化의 妙는 陰의 女性에게 二陽의 配定하고 男性의 陽에 二陰을 配定하여 自然的으로 그

個體中에 陰陽의 調和를 이루고 生命의 發展을 꾀하고 있는 것이 아닐가 生覺된다.

이 意味에서 미루어본다면 男性中에서도 氣弱한 陰性的인 사람도 있고, 女性中에서도 氣가 强한 支配力이 있는 사람도 있음이 하나도 異狀할 것이 없는 것이다.

그러나, 陽陰의 質 男女의 本性은 本質的으로 다른 것이다. 兩方의 特質은 十分 發揮하여 陰과 陽이 調和를 이루고 서로 도와가며 補充해감이 現明하다고 할 수가 있는 것이다.

日月相推而明生焉 = 일월상유이명생언
寒往則署來 = 한왕즉서래
署往則寒來 = 서왕즉한래
寒署相推而歲成焉 = 한서상유이세성언
往者屬也 = 왕자속야
來者信也 = 래자신야
尺蠖之屈求信也 = 척호지굴구래신야
龍蛇之蟄以存身也 = 용사지충이존신야

이상 문구들은 六十四個의 卦象中에서 履부터 巽까지의 九個의 卦象을 採擇하여 德을

修道함을 說明한 것이다.

履란 禮에 通한다. 禮를 올바르게 한다함은 德의 根元이 되는 것이다. 또 人間이 한사람의 成人이 됨에 있어서는 段階를 올바르게 밟아서 成長하고 出世를 하여가는 것 임으로 그 한발한발을 着實하게 밟아나가는 것이 人間의 德性의 其礎가 됨을 하여가는 것이다. 한발침은 모자람과 같다라고 무엇이든 간에 넘치고 지나침은 삼가하여야 할 일이다. 스로가 갖고 지닌 謙虛를 지킨다면 한침이란 絶對로 있을 수 없는 것이다. 德을 몸에 지니려고 한다면 모든 일에 어디까지나 謙虛하지 않으면 않된다.

復이 德의 本이라함은 復이란 元來에 되돌아간다는 뜻인 卦象임으로, 人間들이 種種 欲心에 사로잡혀 옆길로 접어들거나 不善을 行하는 일도 있다. 그러나 本來 人間의 本性은 善임으로 반드시 本來의 善으로 되돌아가는 것이다. 되돌아감으로서 비로서 더 한층 德을 높일 수 있게 되는 것이다.

恒久的인 平和라고 말하듯이 平和라는 좋은 狀態가 언제까지나 持續됨을 恒이라고 일컬은다. 주어진 狀態를 永久히 持續시킬 수 있는 妙策은 德을 더한층 굳고 높게 쌓아간다는 것이다. 무엇인가에 부딪쳐서 흔들릴 程度로서는 千義之功을 단 한숨에 망치는 끝이 된다. 平和도 눈깜박할 사이에 흐트러지고마는 것이다.

損이라고 하는 것은 金品이나 物質的인 面에서 損害를 본다는 것이 아니다. 自己自身을

完全히 내던져서 有利하지 못한 일에 손을 댄다는 것이 아니고 一見 아주 損害보는 立場에 놓여지는 것이 아니고, 오히려 德을 修養하는 것이 되는 것이다.

숲이란 自己自身의 財産을 더한다、불린다는 좁은 意味로서가 아니라 大衆에게 利益을 안겨주는 듯한 좋은 事業을 이르켜 財物이 넓고 豊足스럽게 大衆에게 윤택하게 하는 것이 아니면 안되는 것이다. 그 個人의 財産은 작을망정 大衆에게 윤택하게 해 준다는 點에 있어 그 사람의 德도 또한 윤택해지는 것이다.

困窮해졌을 때에 他人을 원망하지 않고、넘길 수 있는 사람은 他人으로부터 원한도 받는 일이 없는 것이다.

權勢와 榮華에 젖어 있을 때는 오히려 그 사람을 비난하고 원망하는 사람이 많은 가다가 막혀 困窮에 빠졌을 때에 비로서 人間의 眞價는 나타난다고 한다. 窮하면 通한다는 眞理를 깨닫고 그 때를 관찰하며 조용하게 마음을 가다듬고、德을 몸에 쌓아 지닌다 함은 普通으로 쉬운 일이 아니다. 그러나 그것이야말로 困期를 이기고 넘기는 길인 것이다.

井이라함은 大地에서 솟아나오는 샘물은 움직이지 않고서도 人間을 기르고 生하는 德을 스스로 지니고 있다. 샘물이 있든 곳에 반드시 마음이 있다 라고 말함 과 같이 퍼내도 퍼내도 끊임없이 솟아오르는 德의 所有者에게는 그를 따르고 그리워 하며 공경하는 사람들도 또한 끝임없는 것이다.

孔子도 理非曲直을 明白히 가리기 爲해서는 사람을 쳤다고 한다·

居上位而不驕 在下位而不憂=거상위이하교 제하위이불우

이것은 乾(天)의 第三爻를 讚訟하는 文言의 한 句節이다. 上位에 있어 교만하지 않으며, 下位에 있어 비굴하지 않는다 라는 뜻이지만, 이것은 우리들이 끝잘 말로는 잘하며 알고 있으면서도 좀처럼 實行하지 못하는 것이 또한 이것이다.

積善之家必有餘慶 積不善之家必有餘殃

積善하는 者에게는 반드시 餘慶이 있으며, 積善치 아니하는 者에게는 반드시 餘殃이 있을 것이다. 坤卦의 文言이다. 이 對句는 너무나도 有名하다. 그러나 이것이 易經의 章句임을 아는 者는 別로 없다. 筆者와 같은 愚鈍한 者에게도 記憶하기 쉽고, 特히나 座石銘으로 삼고 있을 程度이다.

坤은 大地의 形으로 天(乾)의 氣를 받어 默默히 모든 것을 慈養生育하는 能力이 있다. 물은 고여 水澤을 이루고 흙을 쌓아 山을 만드는 두터운 德이 있으며, 純陰이다. 人倫面에서는 女性의 象徵이다.

그러나 陰은 元來 動의 反對인 靜인 것이나, 모든 萬物을 生育함에 있어서는 무서우리만치 오랜 期間의 勞苦에도 견디어내며 外面은 靜하면서도 激甚한 努力을 繼續하지 않으면 안된다. 胎兒를 母體로서 生育함도 이와같은 理致이다. 一刻一事도 소홀히 하고 게을리하여서는 안된다. 이러한 것이 거듭됨으로 비로서 生命의 創造와 成長이 可能한 것이다.

積善之家에 반드시 기쁨이 있다 함은 坤의 意味를 딴 것이다. 그러나 善이라는 行爲는 쌓이고, 거듭되면 하늘이 안다. 他者는 알지 못한다. 또 알릴 必要도 없는 것이다. 그러나 善이라는 行爲는 반드시 求하지 아니하여도 새로운 싹은 돋아날 것이며, 結局에는 사람들이 알게되어 언제인가는 반드시 慶福을 맞이하게 될 것이다. 慶에 餘가 붙어 있음을 헤아린다면 三十의 善의 行爲이나, 기쁨은 四十에도 五十에 이르러서 되돌아 온다고 하는 意味이다.

이에 反하여 積惡之家는 반드시 餘殃이 있다. 本人以外는 어느누구도 알지 못하리라. 生覺했던 비밀도 언젠가는 반드시 發覺되어 그것에 應分한 代價를 받아 치르게 된다. 설사 神이나 사람의 懲罰이 아니더라도 自身의 良心的인 가책에 限없이 시달리게 되는 法이다. 殃이라함은 人間이 만들어내는 災禍인 것이다. 災는 天災를 말한다. 殃은 自身에게만 限定된 것이 아니고, 父母子息 親戚에까지 번져서 넓은 世上안에 몸하나도 依持할 곳도 없는 것 같은 悲慘한 結果를 낳게 된다는 뜻인 것이다.

履霜堅氷至=복상견빙지

서리를 밟어서 단단한 어름에 이른다.

이것은 坤의 第一爻의 象辭이다. 가장 밑바닥에 깔려 있는 陰爻이다. 단단한 어름도 最初에는 겨우 힘없고 얇은 서리로부터이다. 九月에 내리는 서리는 十一月에는 단단한 어름이 된다. 即 눈에 잘 띠지 않는 작은 惡心도 잘못하면 大惡心이 되고 大惡事로 發展한다는 警句이다. 사람의 가슴에 움트는 惡은 작은 싹일 때에, 그것이 더 커지기 前에 미리 뽑아버려야만 되는 것이다. 陰險한 面으로만 행동하고 쌓여서 커지면 그것이 그사람의 性格이 되어 어느 때인가 爆發하게 되면 陽性의 惡보다도 더욱 악랄하여 피를 보게되는 險惡한 꼴을 보게 되는 것이다.

그럼으로 主人이나 或은 父母를 殺害하는 것 같은 惡心으로 一朝一夕에 形成되고 생기는 것이 아니고 서리에서 어둠으로 變하는 段階를 거친 後에 억제하고 억제하던 것이 爆發하는 것이라고 여러번에 걸쳐 警句를 하고 있다. 反面에 어리석은 者도 서리를 밟어 굳혀서 여름이 되듯이 隱忍自重하며 努力을 거듭하노라면 반드시 大成할 수가 있다는 意味로 받아들여도 좋다. 筆者도 이 後者的인 解釋을 自身에게 받아들여 自身의 것으로 할려고 努力하고 있다.

龍戰於野 其血玄黃=용전어야 그혈현황

이 句節은 坤의 第六爻의 象辭이다. 坤의 陰도 六爻에 이르러 隱忍自重도 極에 達하면, 直刻的으로 陽으로 變하여 猛烈한 싸움을 벌려 流血의 慘劇을 招來할 수가 있음을 表示하고 있는 것이다.

平常時는 溫順한 女性도 怒하게 되면 大端한 形相으로 變한다. 오히려 男子의 怒함보다 더욱 사납고 무서운 形相으로 나타난다. 가혹한 政治下에서 默默히 참고 견디어 오던 국민도 한번 怒하게 되면 支配者를 피의 祭壇에 올리는 程度의 두터운 刑相이 된다. 卽 革命이라는 것이 그 例이다(文言은 六十四卦中에 乾과 坤에만 있다).

師衆也貞正也=사중야정정야

地水師卦의 象辭이다. 師라고 함은 大衆이며 兵의 뜻이다. 出師라함은 出兵於戰의 意味이다. 戰爭을 始作하는 것이다. 師는 正義를 바탕으로 하지 않는 限은 絶對로 이르켜서는 안되는 것, 邪를 徵罰하기 爲한 正義에 立脚한 戰爭이라면 大衆의 支持를 얻어 勝利할 것이나 그럼에도 不拘하고 人命을 損失하는 戰爭이라는 것만은 極力不可抗力的인 때까지 避해야만 하는 것, 個人的인 問題에 있어서 마찬가지이다.

履虎尾不咥人=이허미불치인

天澤履卦의 大象이다. 履라 함은 禮를 말하는 것이다. 禮란 相對에 對하여 自身을 謙虛하며 어디까지나 尊敬心을 다하여야 하는 것이다. 다시 말해서 虎尾를 밟어도 호랑이에게 물리지 않는다. 그와같이 誠心誠意로서 近接한다면 虎尾를 밟으라는 뜻을 意味하는 것이다. 禮記에는 言而履之禮也라 하였다. 言과 行을 一致시키는 것인 것이다.

外形上으로만 低姿勢라 하여도 內心으로는 不敬不遜하다면 禮가 아니다. 禮를 올바르게 갖춘 人品은 아름답다. 權力이나 威力을 내세우는 者도 談談하며 더우기 端然히 禮를 아는 사람에 있어서는 自然히 머리숙이며 쪽도 못쓴다. 衣食이 有餘하여야 禮儀를 안다고 하였으나 衣食을 充足한 現代이기는 하나 不足해진 것은 禮儀之心이 아닐까?

其亡其亡繫于苞桑=기망기망번천포살

天地否卦의 第五爻의 象辭이다. 否라 하는 것은 天下泰平의 泰와는 反對卦로 上下와 陰陽이 全혀 通하지 않는 否定의 時期인 것이다. 이런 때에는 무엇이나 어쩔 道理없는 애로, 障碍, 막힘이 생기나 俗人들은 그것을 알지 못한다. 다음을 爲해 깊고 단단한 基礎工事에 着手하여야 함에도 不拘하고 놀라서 허둥대며 쓸데없이 臨時方便的(大憂가 기울어짐에 弱한 桑木으로 바친다). 手段으로 危難을 넘기려고 바둥댄다. 그런式이면 亡한다、亡한다고 警告하고 있는 것이다.

否足時에는 臨時方便을 取하지 마라, 조용히 다음에 올 일과 때에 對備하여 기다려야 하는 것이다. 靜思、待期、準備等이 否卦時의 取해야 할 態度인 것이다. 멀지않어 반드시 上昇之期가 온다. 먼저 피로움을 겪은 然後에 기쁨을 얻는 것이 否卦의 特徵이기도 하다.

觀我生進退 未失道也=관아생진퇴 미실도야

風地觀卦이다. 觀이란 본다라는 뜻에는 틀림이 없으나 眞正한 뜻은 달을 본다거나 風景을 본다는 觀光을 意味하는 것이 아니다. 于先 自身의 마음갖임의 正邪를 바로보라는 뜻이다. 目的은 올바르는가, 邪道를 밟고 있는 것이 아닌가, 엉뚱한 옆길로 접어든 것이 아닌가, 自身의 內心을 直觀할 줄 아는 者는 失手가 없는 法이다.

君子以愼言語節飮食=군자어진언어절음식

山雷頤卦이다. 頤이라고 함은 自己自身을 養生하고 次代를 爲하여 人材를 養成한다. 自身을 養生한다 함은 言語를 操心하고 飮食을 바르게 調節함이 第一이다. 當然之事이나 이 平凡한 일이 좀처럼 쉽게하지 못한다. 이 二個項을 失行하지 못하고는 德(精神)을 養生함은 어렵다. 다시 말하다면 自身의 欲心을 克服함이 自身을 養生하는 第一義이다.

虎視耽耽其欲逐逐=호시탐탐욕추추

같은 山雷頤卦中 第四爻를 말한다. 이것에서 滋味있는 것은 虎視耽耽이란 敵을 겨냥한다 天下를 겨냥한다 等에 使用되는 眞正한 虎視耽耽은 침을 흘릴 程度로 欲心이 動하는 것에의 我欲을 겨냥한다는 것이다. 그 欲望은 理性에 依해서 물리칠 수 있는 사람이어야 비로서 그 位置가 安泰할 것이며 平生을 通하여 大過가 없다.

더우기 이때의 欲望은 젊은이가 보다 위를 向한 欲望이 아니고 四、五千代에 이루어서 社會的으로도 相當한 地位에 있는 立場을 말한다. 음란한 重役이 꽃같은 少女를 겨냥한다면

가 金錢如何에 따라 利權으로 권력남용을 하는 惡德官吏같은 것이다.

坎爲水卦의 象辭이다. 이 句節은 人間이 危險(生命의 危險 任務上等 每事)에 빠졌을 때의 마음가짐에 對한 것을 말한 것이다. 坎은 六十四卦中에서 唯一하게 危險을 豫告하는 卦이나, 이때에는 盛運에 도취되어서 마음이 해이해졌을 때보다도 더욱 非常한 緊張하는 것임으로 眞情이 있다고 하는 것이다.

즉 이 危險에 逢着하면 나쁜 狀態로부터 脫出하려고 熱心스럽게 된다. 이 熱誠的인 마음으로 마치 가슴까지 차는 溪流를 넘으려 조마조마하면서도 조그마한 失手도 하지 않으려고 하는 愼重性과 같은 愼重한 精神으로 믿는 것(반드시 成功 再建 再起할 수 있다 等)에의 確固한 主觀대로 밀고나갈 때 일은 成就된다는 것이다.

陰險한 中에서 움쩍도 못하고 당황하거나 그자리에 서서 進退를 決定하지 못한다거나 하면 안된다. 勇氣를 불러일으키고 더우기 세밀한 注意와 熱로서 大事에 臨하고 밀고나감으로서 成功했을 때에는 그 行爲를 大端히 尊重받게 되는 것이다.

例를 든다면 美國의 그린中領이 全美國의 期待를 한 몸에 싣기 爲해 갖을 속으로 들어갈 때의 心情이 그러했을 것이며, 近來의 대마해협의 橫斷水泳에 成功한 趙五連 또는 작은 욧트에 몸을 싣고 太平洋橫斷을 成功裡에 마친 두 젊은이의 出發

時의 心境이 그러했으리라. 小人은 危險을 두려워하며 당황하고 그 結果 斷行도 하지 못하는 가운데 몸도 마음도 질려 亡하는 경우가 많다.

父父子子 兄兄弟弟 夫夫婦婦 而家道正正 家而天下完也

父는 父다웁고, 子는 子답고, 兄은 兄답고, 夫는 夫답고, 婦는 婦다워 家道가 正하면 이르러 天下가 定한다. 이것은 風失家人卦이다. 글자 그대로와 같이 家族들이 各己 自身의 分數를 지키고 和睦하며 理解해가며 서로 도웁고 하는 가운데 家道는 흐트러지지 않는다.

各家庭의 集合體가 國家이다. 사람들은 다투고 不睦하며 家道가 亂해지면 國家가 平穩할 理가 없다. 修身齊家 治國天下의 道理로 이렇게 말하면 封建的인 냄새가 相當히 甚하게 나기는 것같으나 젊은이와 老夫婦가 別居함이 普通之事가 되어버린 오늘날에도 道理와 人格이라는 次元에서는 하나도 다를바 없은 것이다.

生活樣式에는 變化가 있다해도 이 人間으로서의 分別이 確固하면 分別이 確固하지 않기 때문에, 現代에는 犯罪, 離婚, 殺人, 不倫, 靑少年의 不良化等의 犯罪가 不絕하게 되는 것이다.

善良하고 良識있는 國民에게는 二千年前의 이 家人卦의 定義가 眞情한 意義가 理解納得 되리라 믿는다.

有孚惠心元吉=유부혜심원길

이것은 모든 사람들이 憧憬해 마지않는 「益」이라는 卦의 第五爻의 象辭이다. 事業上의 運勢判斷에서 「益」이 表出되면 우선 마음부터 뿌듯해진다. 그러나 이 卦象이야말로 眞情한 益이란 自身에게 크나큰 利益이 돌아온다는 뜻이 아니다. 相對에게 損害를 입히지 않고 얻는 利益이 眞情한 利益인 것이며, 그 利益을 大衆을 爲하여 베풀음으로서 비로소 큰 利益이 되는 것이다. 이것은 크나큰 元吉 또는 大吉이라고 하는 것이다.
近來에 와서는 眞益보다는 小益、微益만을 쫓고 있는 사람들뿐이다. 그리고 오히려 損을 보고 있는 것이다.

井收勿幕 有孚元吉=정수물막 유부원길

水風井卦의 第六爻이다. 井은 쿨쿨 솟아오르는 水(人德)이다. 絶對로 덮어버리거나 베풀거나 물을 얻을려고 오는 者에게 거절하지 않는다. 얼마던지 衆人에게 水(德)을 베푼다.
이것이 眞情한 大吉인 것이다.
人間이 功을 이루고 이름을 얻으면(立身揚名) 親戚은 勿論 親近 벗을 멀리하며、自身의 位置나 財를 守護하려고 한다. 寶物을 감추고 財産을 빼어돌리려고 戰戰競競한다. 이렇한 根性으로서는 大人物이며 大吉이다 할 수가 없다. 財는 덮어두고 人格과 人德은 퍼고퍼고 끊임없는 우물과 같은 사람이 되라는 뜻이다. 易의 三百八十四爻中에서 第六位의 爻가 大

吉이라 함은 井卦의 하나뿐인 것이다. 現相的인 人格者를 뜻할 것이다.

君子豹變小人革面征凶居兩吉

사람이 어떤 일에 닥치어 갑자기 意見이나 態度를 突變하였을 때에 君子豹變이다, 라고 흔히들 使用하는 말이다. 이것은 澤火革中의 第五爻의 態度를 突變하였을 때에 革卦는 革命이란 어떤 것이며 어떻게 行해지는 것인가를 說明하고 있으나, 第六爻에서는 그 革命이 成熟하였을 時의 일을 說明하고 있는 것이다.

即 偉大한 天子, 指導者에 依해서 올바른 意味에서의 革命에 成功한 경우 周圍에 있는 相當한 地位에 있는 사람들(君子)가 훌륭한 革命精神에 心服하여 豹犯이 그 毛色을 아름답게 變化시키듯이 훌륭한 道德心이 있는 사람으로 變化해 가는 것을 말하는 것이다. 이렇게 되면 더욱이 一般大衆들도 마음을 바꾸어 묵은 方向에서 새로운 方向으로 進路를 變更하게끔 된다. 이것이 革命이다.

征凶이란 이러한 경우에는 아직 革命의 意義나 指導者의 意見은 알지 못하고, 모반을 計劃하거나 服從하지 않는者가 있는 것이나, 그 少數者를 急速히 服從시키기 爲하여 進擊한다면 오히려 自然히 마음으로부터 따르도록 하는 便이 結果는 吉이 된다는 것이다. 아감으로서 自然히 마음으로부터 따르도록 하는 便이 結果는 吉이 된다는 것이다.

虎는 百獸의 王이며, 體格도 크고 容易한 일에는 움직이지 않는다. 그 毛皮는 가을이 되면 참으로 아름답게 윤기가 돈다. 豹는 虎보다 작고 毛는 역시 가을에 윤택해진다. 革의 意義는 自然의 春夏秋冬의 四秀의 變化의 時期를 最大의 것으로, 古代中國에서는 天命을 받어서 行政을 行하는 天子를 理想으로 하였던 것이다. 또 毛皮가 脫毛되어 갉어줌으로서 完全히 形을 變하여진 皮革이 되는 點으로 해서 革은 虎豹를 形容하여진 것이라 生覺된다. 眞實한 豹變은 올바른 것으로부터 感化되는 것을 뜻하는 것이니 最近은 私利私欲에 눈이 멀어 그것 때문에 豹變하는 君子가 많은 것이 아닐런지.

思不出其位=사불출기위

艮爲山卦이다. 艮은 山이다. 不動함이 泰山과 같다. 震(雷)는 動하는 代表이나 艮(山)은 不動의 代表인 것이다. 있는 그대로의 運命, 配置를 生覺하고 泰然히 自己自身을 지키는 모습이다. 그러므로 人間도 山과같이 宿命에 滿足하며 甘受하라는 것이 아니다. 旺盛할 때에는 그렇지도 않으나, 한 번 退落하여지거나 生活이 어려워지면 自然히 過去에는 좋은 자리에 있었는데 或은 裕福하였는데 하고 투덜대거나 不平을 하기 마련이다. 그런가하면 他人의 地位나 財産이 부럽게 되고 투기가 생기기도 한다. 마음이 不安定하여 自身의 職業이나 事業에 執着치 못하여 방황하여 結局에는 아무것도 完成을 하지 못한다. 外國과의 交流로 激甚하게 變하는 世相은 그 나라의 重要한 美風良俗、技術 文化 思想까지도 어이없이 꺼리

껌없이 버리어 간다. 이러한 어리석음과 輕薄함을 不動인 艮之山은 어떻한 마음으로 보고 있을 것인가 생각해 봄직하지 않을가.

節亨苦節不可貞 = 절형고절불가정

水澤節之卦이다. 苦節, 貞節, 節度, 調節 等으로 쓰여지는 대나무의 마디와 같이 一定의 尺度 넘어서는 않되는 規律이 存在하여야 하는 것이다. 自身을 爲해서나 公衆을 爲해서나.

自然의 氣의 變化도 春夏秋冬中에 二十四節에 있듯이 지켜야 할, 눌러야 할, 당기어 조이어야 할 節度는 適當하지 않으면 안된다. 그러나 이것을 지킴에 어렵고 괴로운 節度이면 사람은 따르지 않을 것이며 每事는 亂하여져 完成치 못함을 뜻하는 것이다. 苦節十年이라는 것은 普通之事는 아니다. 手下者가 他人에게는 苦節을 強要함에 서슴치 않는 사람도 本人自身은 苦節 따위를 眼中에도 없는 것 같은 것은 참으로 넌센스이다.

靑少年의 不良化를 論하기 以前에 大人들의 反省이 要求된다. 國會에서의 暴力行爲가 없어지지 않으면 안되며, 國産品愛用을 國民들에게 권장하기 以前에 관청의 外國製車輛이 或은 其他外國製品 使用을 廢止해야 할 것이다. 食糧危機에 直面하여 雜穀混食을 권장하고 있으나 이것 亦是 高位層이나 富裕層이 먼저 솔선수범을 하여야 하지 않을런지 酒色이나 金錢이나間에 節度를 알고 있다면 크게 보람이 있을 것이며, 節度를 잃는다면 敗家亡身할

根元이 될 것이다.

易則易知＝역즉역지
簡則易從＝간즉역종
易知則有親＝역지즉유친
易從則有功＝역종즉유공
有功則可久＝유공즉가구

字義와 같이 易이라는 것은 大端히 알기쉽고 簡潔한 道理임으로 따르기 容易하고도 지키기 쉽다. 때문에 모든 사람들에게 親近感을 주며 實行되어지며 恩惠、 功績도 큰 것이며 그 道도 길이 이어지는 것이다.

易은 于先 天을 알고、 地를 알고、 四秀의 陰陽의 變化나 朝夕晚、 寒署、 暖令、 風、 霜雨、 雪、 朝의 太陽、 山川、 草木、 水火 등을 있는 모습 그대로를 아는 것부터 始作이 되는 것이다. 이리도 쉽고도 偉大한 敎材는 다시는 없을 것이다.

이들 氣의 變化나 循環、 모든 것들의 生生榮枯에 宇宙의 心이 있고 一定의 眞理가 있음을 正確히 探知하는 것이 第一步였었다. 그 氣와 理와 象(形)을 뚫는 原理를 人間의 삶의 길에 活用하여 더욱이 生生發展하는 예지를 높이고、 平和와 풍요로움을 求하는 것이 易의 心인 것이다.

易은 母가 乳兒에 젖을 주며、乳兒가 가르쳐주지 않어도 乳房을 빨고들듯이 極히 쉬운 自然의 道로부터 들어가는 것이다.

모든 사람을 무작정 幸福으로 誘導해 가는 것은 全部 이와같어야만 할 것이다. 法律만 만들어서 지켜지지 않고 正直하고, 正當한 者가 損을 보는 政治나 道라고 하는 것은 全部 이와같어야만 할 것이다. 國家여서는 永遠의 發展을 期待하기 어렵다. 높은 價値의 人間만을 養成하는 것만이 그 나라의 最高目標가 되지 않으면 안될 것이다.

善不積 不兄以成名
惡不積 不兄以滅身

善行을 쌓지 않고서는 成功하지 못한다. 惡行을 하지 않는다면 敗家亡身하는 일이 없다. 그러나 여러 사람들은 작은 善行程度로는 의 爲함이 되지 않는다고 生覺하기 때문에 實行하지 않는다. 그러나 여러 사람들은 작은 善行程度로는 자신 않다고 生覺하여 남의 눈에 띠지 않는 곳에서는 犯하고 만다. 그러나 작은 惡은 永續되지 않는다. 惡行 可思議하게 亦裸하게 나타나는 것을 異狀하다. 小事이라 할지라도 結果는 마찬가지이다. 結局은 正 直하게 亦裸하게 나타난다. 小善을 持續하여 陰性的으로 積德한 사람들이 요지음 紙上에서 크게 크로즈업 되는 것을 보아도 알 수가 있다.

易之爲書也 廣大悉備 有天道焉 有人道焉 有地國焉 兼三才而兩之 故六 六者非他也 三才之

道也。

易의 書中에 廣大하게 每事가 갖추어지다. 天道가 있고 人道가 있고, 地道가 있고, 三道를 象하며 이것을 兩으로 한다. 故로 六, 六은 他에는 없다. 三才의 道이다.

易書는 참으로 廣大하며 宇宙大自然의 모든 것이 갖추어져 있다. 天道가 있고 人道가 있고 地道가 있다. 天地人의 三才에는 어느 것이나 陰과 陽의 二畫가 있으며 合하여 一卦六爻가 된다. 그러나 六爻는 따로따로 別個로 分散된 것이 아니다. 恒時 一卦 그 自體에 天道 人道 地道의 三才가 갖추어져 있는 것이다. 一木 一草에 하나의 人體에 天地의 모든 것이 있는 것이다.

天에는 天自體의 特有의 靈妙한 움직임이 있으며, 大地는 가장 넓어서 萬物을 싣고 養育하는 能力을 가지고 있다.

人間은 天과 地의 偉大한 能力(才)에 比較한다면 그 才能은 작은 것이나, 自然으로부터 떨어져서는 살 수 없는 것이 못된다. 生物中에서는 가장 靈妙한 知能을 良有하고 있다. 그러므로 天地人 三才라 함은 大元이 되는 才能이라고 하는 것이다. 天地는 말이 없으나, 人間으로 하여금 말을 하게끔 한다는 程度, 人間은 使命은 至大한 것이다.

人間이 天地間에 生하여 보다 좋은 生活을 구축함에는 꼭 부느불 大自然의 天道와 地道를 알어야 할 必要가 있다.

物品을 利用하여 利를 生하기 爲해서도 價値가 높은 人間性을 培養하기 爲해서도 靈長이라 일컬으는 才能으로서 天과 地의 眞理를 具現할 意志로서 人間의 道를 完成시켜 나가지 않으면 안된다。大地의 道를 모르고서는 이 일을 할 수 없는 것이다。이상의 학문은 한번 구독으로서, 이해되기 힘들며 특히 사주비전책 著者의 他書等을 읽어가면서 연구한다면, 易術大學만 아니라 만물에 조화까지도 알 수 있는 특수한 神人에 가까운 사람이 될 것이다。

| 판권저 |
| 자소유 |

일 시 비 법 【정가: 10,000원】

1981년 2월 5일 : 초판 인쇄
2007년 12월 10일 : 재판 인쇄

著　者 : 秋松鶴(順植)
發行人 : 秋松鶴(順植)
發行處 : (圖書出版) 生活文化社
주소 : 서울시 중구 충무로 5가 36-3
전화 : (02) 2265-6348
　　　(팩스) 2274-6398
등록 1976년 1월 10일 번호 제2-304호
ISBN 89-8280-021-2 13180